Pai,
um homem de valor

Hernandes Dias Lopes

© 2008 por Hernandes Dias Lopes

Revisão
Charleston Fernandes
Lilian Palhares

Capa
Douglas Lucas

Diagramação
B. J. Carvalho

Editor
Juan Carlos Martinez

1a edição - Novembro de 2008
Reimpressão - Setembro de 2009
Reimpressão - Setembro de 2010
Reimpressão - Janeiro de 2012
Reimpressão - Julho de 2012
Reimpressão - Julho de 2013
Reimpressão - Fevereiro de 2015

Coordenador de produção
Mauro W. Terrengui

Impressão e acabamento
Imprensa da Fé

Todos os direitos reservados para:
Editora Hagnos
Av. Jacinto Júlio, 27
04815-160 - São Paulo - SP - Tel (11)5668-5668
hagnos@hagnos.com.br - www.hagnos.com.br

Dados Internacionais de Catalogação na Publicação (CIP)
Câmara Brasileira do Livro, SP, Brasil

Lopes, Hernandes Dias -
Pai, um homem de valor / Hernandes Dias Lopes;
São Paulo, SP: Hagnos 2008

ISBN 978-85-7742-042-1

1. Pais - Vida religiosa 2. Pais e filhos 3. Papel dos pais - Aspectos religiosos - Cristianismo I. Título
08-09791   CDD-248.845

Índices para catálogo sistemático:
1. Pais e filhos : Guias de vida cristã : Cristianismo 248.845

Editora associada à:

Dedicatória

Dedico este livro ao presbítero Dário Neves de Moura e à sua amada esposa Maria Nilza, casal precioso, hospitaleiro, conselheiro, amigo, fiel a Deus, que tem sido um bálsamo do céu para minha vida, família e ministério.

SUMÁRIO

Prefácio 7
Introdução 9
Pais e filhos, um relacionamento
vital para a família 13
Um grande homem que
fracassou como pai 25
Um pai que orava pelos filhos 43
Um pai que lutou pelos filhos
e depois os perdeu 55
Pais e filhos convertidos uns aos outros 77
Pais que investem na vida dos filhos 87
Um exemplo de pai 99

Prefácio

Os homens mais felizes do mundo estão longe dos holofotes, não amealharam riquezas nem freqüentaram as altas rodas sociais, não chegaram ao topo da notoriedade nem beberam todas as taças dos prazeres. Os homens que fartaram a alma com os mais finos manjares espirituais e alcançaram a mais encantadora das realizações são heróis anônimos. São homens que não foram aplaudidos pelo mundo, mas foram aprovados no recesso da família. Sua maior realização não é ser grande aos olhos do mundo, mas ser honrado dentro de seu lar; não é ter muitos admiradores, mas criar os filhos na disciplina e na admoestação do Senhor.

Pai, um homem de valor

Meu pai foi um exemplo para mim. Enérgico, mas doce ao mesmo tempo. Cercava-me de privilégios, mas, de igual forma, cingia-me de responsabilidades. Cercava-me de carinho, mas cobria-me de exigências. Não me poupava das críticas, mas era pródigo nos elogios. Era firme no confronto, mas convincente nas lágrimas. Meu pai foi meu conselheiro e meu incentivador. Algumas vezes, obedeci com lágrimas nos olhos, desejando fazer o contrário de sua orientação. Mas, ao obedecê-lo e honrá-lo, descobri que Deus me preparava para vitórias mais consagradoras.

Meu pai não era um homem culto, mas era experiente; não galgou os degraus de uma universidade, mas diplomou-se na escola da vida; não tinha familiaridade com os livros, mas tinha intimidade com Deus. Suas palavras são para mim, ainda hoje, fachos de luz a clarear meu caminho. Meu pai não foi um homem perfeito, mas foi um homem sério, íntegro, e valoroso, que me ajudou a conhecer a Deus, tomou-me pela mão e ensinou-me o caminho da verdade.

Hernandes Dias Lopes

Introdução

SER PAI É UM SUBLIME PRIVILÉGIO e também uma imensa responsabilidade. Não basta gerar filhos, é preciso educá-los e prepará-los para a vida. Muitos homens tornam-se famosos e alcançam o apogeu do sucesso na carreira profissional, mas poucos têm êxito no recôndito do lar. Ainda hoje, a paternidade responsável é uma das missões mais nobres, árduas e desafiadoras. O pai de verdade é um homem que faz diferença na vida dos filhos, é exemplo para eles; e antes de ensinar-lhes algo, vive o que ensina; antes de inculcar neles a verdade, a tem em seu coração; ele ensina o caminho aos filhos e ensina-os no caminho. O exemplo não é apenas mais uma forma de ensinar, antes é a única maneira eficaz de fazê-lo. Precisamos de pais que sejam modelo de honestidade para os filhos.

Vivemos hoje a grande tensão entre o urgente o importante. Coisas urgentes batem à nossa porta a todo instante. Embora tudo à nossa volta grite aos nossos ouvidos com o apelo do urgente, nem sempre essa urgência é de fato importante. Um pai jamais pode sacrificar no altar das coisas urgentes o que verdadeiramente é importante. O pai que faz diferença encontra tempo para os filhos. Quem ama valoriza. Quem ama prioriza. Quem ama encontra tempo para a pessoa amada. Os filhos são importantes. Eles merecem o melhor do nosso tempo, da nossa agenda, da nossa atenção. Se o pai está tão ocupado a ponto de não ter tempo para seus filhos, ele está sobrecarregado demais. Na verdade, nenhum sucesso compensa o fracasso do relacionamento com os filhos. A herança de Deus na vida dos pais não é o dinheiro, mas os filhos, que por sua vez, precisam dos pais mais do que de coisas. Presentes jamais substituem presença.

Quem ama disciplina. Amor sem disciplina é irresponsabilidade. Um pai, que queira fazer diferença, deve equilibrar correção e encorajamento. Deixar de corrigir os filhos é um grande perigo. Porém, a correção precisa ser dosada com o encorajamento. O rei Davi pecou contra seus filhos por não contrariá-los. O sacerdote Eli foi acusado de amar mais aos filhos

Introdução

do que a Deus, sendo conivente com o erro deles e não tendo pulso para corrigi-los. Os filhos precisam ser encorajados pelos pais. O elogio sincero e a apreciação adequada são ferramentas importantes para a formação emocional. Os filhos precisam se sentir amados, protegidos e orientados. Correção sem encorajamento é castigo; encorajamento sem correção é bajulação. Ambos são nocivos para a formação do caráter.

Para fazer diferença, um pai deve cuidar da vida espiritual de suas crianças. Não basta cuidar da vida física, intelectual e emocional, é preciso também cuidar da vida espiritual. Um pai que faz diferença age como o patriarca Jó, que intercedia todas as madrugadas por seus filhos e os chamava para santificá-los. Não basta ter filhos brilhantes, bem-sucedidos profissionalmente, precisamos ter filhos salvos, consagrados a Deus. Nossos filhos devem ser mais filhos de Deus do que nossos. Devem ser criados para realizar os sonhos de Deus, devem viver para a glória de Deus.

capítulo um

PAIS E FILHOS, UM RELACIONAMENTO VITAL PARA A FAMÍLIA

QUANDO PAULO ESCREVEU A CARTA AOS EFÉSIOS, estava em vigência no Império Romano o regime *pater potestas*. Nesse regime, o pai tinha o direito absoluto sobre os filhos.

Já nos anos, 1960, irrompeu com os *hippies* uma revolução que resultou em revolta contra toda autoridade estabelecida. A autoridade dos pais também foi afetada. A família ficou acéfala. A confusão se instaurou e muitas famílias perderam o referencial de autoridade e obediência. Naquele momento, os jovens romperam com a cultura prevalecente. Saíram de casa. Viveram em grupos nômades, abandonaram os estudos e desprezaram o trabalho e a religião.

Muitos desses jovens se perderam nos labirintos das drogas. Conduzida pela locomotiva dessa crise, veio a liberação sexual, movida pela flexibilidade da ética e o uso do anticoncepcional. A juventude perdeu seu ideal e abandonou suas trincheiras. Embalada pelo rock, a mergulhou de cabeça nas drogas, no sexo livre e no misticismo. Ao mesmo tempo em que curtia os bens de consumo, também se perdia, confusa e sem parâmetros.

Essa crise ainda é imensa, com os pais correndo atrás de coisas e sacrificando relacionamentos. Eles oferecem conforto, educação e liberdade incondicional aos filhos, mas não têm tempo para eles. Sacrificam no altar do urgente o que é verdadeiramente importante, substituem presença por presentes, dão coisas para os filhos, mas não dão a si mesmos.

Se quisermos restaurar a família, precisamos voltar aos princípios de Deus. Ele instituiu a família e estabeleceu leis e princípios que devem regê-la. O relacionamento entre pais e filhos é amplamente ensinado e exemplificado nas Escrituras. Consideremos esse relacionamento à luz do ensino do apóstolo Paulo.

O dever dos filhos com os pais

Filhos, obedecei a vossos pais no Senhor, pois isto é justo. Honra a teu pai e a tua mãe (que é o primeiro mandamento com promessa), para que te vá bem, e sejas de longa vida sobre a terra. (Ef 6.1-3)

Martyn Lloyd-Jones, comentando o texto acima, menciona três motivos que devem levar um filho a ser obediente a seus pais.

A *natureza*. O apóstolo Paulo ordena: "Filhos, obedecei a vossos pais [...] pois isto é justo" (Ef 6.1). A obediência dos filhos aos pais é uma lei da própria natureza e o comportamento padrão de toda a sociedade. Os moralistas pagãos, os filósofos estóicos, a cultura oriental (chinesa, japonesa e coreana), as grandes religiões como confucionismo, budismo e islamismo defendem a obediência aos pais. A desobediência é um sinal de decadência moral da sociedade e um sinal do fim dos tempos (Rm 1.28-30; 2Tm 3.1-3).

A *lei* (Ef 6.2,3; Êx 20.12; Dt 5.16). Honrar é mais do que obedecer. Os filhos devem prestar não apenas obediência, como também demonstrar amor, respeito e cuidado pelos pais. É possível obedecer sem honrar. O irmão mais velho do filho pródigo obedecia seu pai, mas não o honrava. Ele tinha uma relação de obediência sem amor e sem comunhão, não se deleitava no pai nem aproveitava seus bens. Vivia como um escravo dentro da casa paterna. Há filhos que desonram os pais deixando de cuidar deles na velhice, outros só os honram depois que morrem, mandando flores para o funeral, mas durante a vida jamais lhes demonstraram respeito e amor.

Pai, um homem de valor

Honrar pai e mãe é honrar a Deus (Lv 19.1-3). A desonra aos pais era um pecado tão grave entre o povo hebreu que a lei ordenava punir o infrator com pena de morte (Lv 20.9; Dt 21:18-21). Resistir à autoridade dos pais é insurgir-se contra a autoridade do próprio Deus, pois toda autoridade constituída procede de Deus (Rm 13.1). A Bíblia fala que José, filho de Jacó, obedeceu a seu pai mesmo sabendo que essa obediência poderia trazer-lhe graves problemas. Seus irmãos o odiavam, mas, mesmo assim, José foi ao encontro deles por ordem de seu pai (Gn 37.13). E, porque José honrou a seu pai, Deus o honrou.

Honrar pai e mãe traz benefícios (Ef 6.2,3). Paulo lista dois benefícios: prosperidade e longevidade. No Velho Testamento, as bênçãos eram terrenas e temporais, como a posse da terra. No Novo Testamento, nós somos abençoados com toda sorte de bênçãos espirituais em Cristo (Ef 1.3). Um filho obediente livra-se de grandes desgostos.

Quantos desastres poderiam ser evitados, quantos casamentos apressados deixariam de acontecer, quantas lágrimas deixariam de rolar, quantas mortes precoces deixariam de existir se os filhos dessem ouvido aos conselhos paternos.

A Bíblia nos mostra a vida de Sansão, um jovem cujos pais se preocuparam com sua criação antes mesmo de ele nascer. O nascimento de Sansão foi uma milagre, sua vida um portento, mas sua morte

Pais e filhos, um relacionamento vital para a família

foi uma tragédia. Esse jovem era um gigante na força física, mas um nanico na área da pureza moral. Por deixar de ouvir o conselho dos pais e não honrar os compromissos assumidos com Deus, morreu cego, humilhado e escarnecido pelo inimigo.

Quantos desastres seriam evitados se os filhos se acautelassem acerca da sedução das drogas, do sexo ilícito, do namoro indecoroso, dos amigos de programas duvidosos (Pv 1.10). A obediência aos pais é um muro protetor. Aqueles que saem dessa cidadela expõem-se aos ataques mortais do inimigo.

Paulo ordena: "Filhos, obedecei a vossos pais no Senhor [...]" (Ef 6.1). Em Colossenses 3.20, o apóstolo escreve que os filhos devem obedecer aos pais *em tudo*. Mas, em Efésios 6.1, Paulo delimita a questão dizendo que os filhos devem obedecer aos pais "no Senhor". Ele está ensinando que os filhos, por causa do relacionamento que têm com Cristo como seus servos, devem obedecer a seus pais. Em Cristo, a família é levada à plenitude de seu propósito original. Nossos relacionamentos familiares são restaurados, são purificados do egocentrismo nocivo, porque estamos no Senhor. Os filhos aprendem a obedecer aos pais porque isso é agradável ao Senhor (Cl 3.20).

O dever dos pais com os filhos

E vós, pais, não provoqueis vossos filhos à ira, mas criai-os na disciplina e na admoestação do Senhor. (Ef 6.4)

Pai, um homem de valor

Mediante o *pater potestas*, o pai já possuía poder absoluto e irrestrito. Naquele regime, o pai podia não só castigar os filhos, mas também vendê-los, escravizá-los, abandoná-los e até matá-los. Sobretudo, os fracos, doentes e aleijados tinham poucas chances de sobreviver.

Paulo ensina, entretanto, que o pai cristão deve imitar outro modelo. Ele exorta os pais não a exercer a autoridade, mas a contê-la. A paternidade é derivada de Deus (Ef 3.14,15; 4.6). Os pais humanos devem cuidar dos filhos como Deus Pai cuida de sua família. O apóstolo Paulo faz uma dupla exortação aos pais. Vejamos.

As exortações negativas

Nas exortações negativas, o apóstolo ordena: "E vós, pais, não provoqueis vossos filhos à ira [...]" (Ef 6.4). A personalidade da criança é delicada e os pais podem abusar de sua autoridade, usando ironia e ridicularização. O pai não pode abusar dos filhos, nem ser bonachão e complacente. O excesso e a ausência de autoridade provocam a ira nos filhos e lhes causam desânimo (Cl 3.20). Cada filho é uma pessoa peculiar que precisa ser respeitada na sua individualidade. Veja os casos em que os pais certamente provocam os filhos à ira:

Excesso de proteção. Os pais que tentam manter seus filhos sempre debaixo das asas, protegendo-os

Pais e filhos, um relacionamento vital para a família

excessivamente, impedem que sejam preparados adequadamente para as adversidades da vida. Os filhos são como flechas carregadas nas mãos do guerreiro (Sl 127.4). Os pais também carregam os filhos, na mente, no ventre, nos braços, no bolso. O guerreiro não carrega as flechas o tempo todo. As flechas existem para ser atiradas e, muitas vezes, atiradas para longe. Não os criamos para nós, criamo-los para a vida. O guerreiro não desperdiça flechas. Ele as atira em um alvo específico. Os pais devem preparar os filhos para viverem para a glória de Deus, não para satisfazerem capricho ou sua vaidade.

Os pais devem agir como a águia. Ela protege seus filhotes dos predadores, fazendo o ninho no alto dos penhascos. Mas, quando chega o momento de sair do ninho, a águia o sobrevoa, mostrando-lhes seu exemplo. Se não atendem a esse apelo, ela tira a penugem do ninho e deixa expostos os espinhos. Se os filhotes rejeitam até mesmo essa disciplina, a águia os arranca do ninho, tirando-os de lá com as próprias garras possantes e os atira ao chão. Antes de o filhote se espatifar ao chão, a águia o toma e o leva novamente para as alturas. Ela faz isso até que o filho aprenda a voar sozinho. Os pais que tentam blindar suas crianças e colocá-las em uma redoma existencial prestam um desserviço aos filhos e os provocam à ira.

Agir com favoritismo. Nada pode ser mais prejudicial aos filhos do que os pais preferirem um em detrimento do outro. Isaque e Rebeca cometeram esse grave erro e acabaram jogando um irmão contra o outro. Esaú e Jacó foram concebidos ao mesmo tempo, no mesmo ventre. Embora gêmeos, eles cresceram como inimigos e o ódio que foi inoculado em seus corações pela inabilidade dos pais perdurou por mais de dois mil anos entre os seus descendentes. Embora os filhos sejam diferentes e a abordagem a cada um deva ter nuanças diferentes; o amor, o cuidado e a disciplina devem ser ministrados na mesma medida.

Pais destemperados. Os pais provocam os filhos à ira quando não temperam disciplina com encorajamento. As duas coisas são necessárias. Disciplina sem encorajamento produz filhos revoltados; encorajamento sem disciplina produz filhos mimados. Há pais que exigem tanto dos filhos que estes ficam desanimados e irritados. É comum a seguinte cena: A criança, ao voltar da escola, exultante de alegria pelo sucesso em uma prova, diz ao pai: "Papai, consegui tirar 9,0 na prova de matemática!" E o pai, sem qualquer sensibilidade, responde: "E quando você vai tirar 10,0?" Uma atitude assim pode levá-la a pensar que nunca poderá agradar os pais. Devemos amar nossos filhos não apenas por seu desempenho, mas por quem eles são. O pai do filho pródigo correu ao seu encontro, o abraçou e beijou, restaurou-lhe a honrosa posição de filho e mandou celebrar uma festa mesmo depois de esse filho ter dissipado seus bens e voltar todo maltrapilho. O amor dos

Pais e filhos, um relacionamento vital para a família

pais deve ser incondicional. Nossos filhos precisam de disciplina, mas também de colo. Precisam de palavras firmes, mas também de encorajamento.

Não reconhecer a diferença entre os filhos. Há pais que exigem o mesmo desempenho escolar entre irmãos, algo quase impossível. Podem exigir o mesmo esforço, mas não o mesmo desempenho. Cada criança é um universo único e singular, com capacidades diferentes e diferentes reações diante das circunstâncias. Quando comparamos um filho com outro e exigimos que pensem, falem, sintam e façam tudo da mesma maneira, isso os provoca à ira o que é uma violação de sua individualidade.

Deixar de dialogar. O divórcio não é uma realidade apenas entre marido e mulher, mas também entre pais e filhos. O diálogo já se tornou um cadáver em muitas famílias. Há muitos lares em que os filhos não têm mais acesso aos pais, não são amigos nem confidentes dos pais. Há muitas famílias em que as pessoas se comunicam dentro de casa apenas pelo telefone celular. Há pais que são verdadeiros sarcófagos existenciais; totalmente fechados e incomunicáveis. Há muitos pais semelhantes a Davi, – choram tarde demais. Choram porque deixaram de conversar, de perdoar, de restaurar os relacionamentos quebrados.

Pais ásperos nas palavras e rudes nas atitudes. A violência, verbal e física, é hoje uma das realidades mais

Pai, um homem de valor

chocantes na família. Abundam os casos de pais matando filhos e filhos matando pais. São muitos os casos de abuso sexual e de assombroso cárcere emocional. Há aqueles que não têm limites na disciplina e confundem disciplina com espancamento, outros achatam a auto-estima dos filhos, despejando sobre eles ameaças e maldições. Essas atitudes mesquinhas e truculentas abrem feridas na alma, destroem a vida emocional e provocam à ira.

Pais incoerentes. Há pais que provocam os filhos à ira sendo exigentes com eles e complacentes consigo mesmos. Impõem padrões rígidos de comportamento, mas vivem de forma desordenada. Os pais ensinam com exemplos e não apenas com palavras. O exemplo não é apenas uma forma de ensinar, mas a única forma eficaz de fazê-lo.

As exortações positivas

O apóstolo Paulo também faz exortações positivas (Ef 6.4). Assim, os pais devem ter quatro cuidados especiais com os filhos:

Cuidar da vida física e emocional dos filhos. A palavra grega *ektrepho*, "criar", significa nutrir, alimentar. É a mesma palavra que aparece na Carta aos Efésios (Ef 5.29). João Calvino traduziu essa expressão assim: "Sejam acalentados com afeição" e William Hendriksen: "Tratai deles com brandura". As crianças precisam de segurança, limites, amor e encorajamento. Os filhos precisam

Pais e filhos, um relacionamento vital para a família

não apenas de roupas, remédios, teto e educação, mas também de afeto, amor e incentivo.

Treinar os filhos por meio da disciplina. A palavra grega *paidéia,* "disciplina", significa treinamento por disciplina. Disciplina por meio de regras e normas, recompensas e, se for necessário, castigo (Pv 13.24; 22.15; 23.13,14; 19.15). Só pode disciplinar (fazer discípulo) quem tem domínio próprio. Que direito tem um pai de disciplinar o filho se ele mesmo está precisando ser disciplinado?

Encorajar os filhos através da comunicação verbal. A palavra grega *nouthesia,* traduzida como "admoestação", significa educação verbal. Educar por meio da palavra falada é advertir e estimular.

Ser responsáveis pela educação espiritual dos filhos. A expressão "no Senhor" revela que os responsáveis pela educação cristã dos filhos não são a escola nem mesmo a Igreja, mas os próprios pais. Por detrás dos pais está o Senhor. Ele é o mestre e o administrador da disciplina. A preocupação básica dos pais não deve ser apenas a de que seus filhos se submetam, mas que conheçam ao Senhor (Dt 6.4-8).

Os princípios que acabamos de examinar foram escritos há quase dois mil anos. Eles não são regras arcaicas que caíram em desuso com o tempo. São princípios imutáveis de Deus que devem mesmo hoje reger as famílias. A Palavra de Deus jamais ficará obsoleta. Jamais perderá sua atualidade e pertinência. Nossa sociedade está assistindo, estarrecida, ao colapso da família porque sacudiu de sobre si o jugo de Deus. A família está em crise porque arrancou os marcos dados por Deus e os substituiu por uma ética débil circunstancial. Deus não só criou a família, como também estabeleceu princípios que devem regê-la. Se observarmos esses parâmetros divinos, desfrutaremos de uma vida familiar abundante, superlativa e maiúscula.

capítulo dois

UM GRANDE HOMEM
QUE FRACASSOU COMO PAI

O MUNDO ESTÁ EM CRISE. Há a crise de abastecimento, do petróleo, dos recursos hídricos, do aquecimento global. Estamos vendo a crise das relações internacionais, a crise institucional e a crise moral. Crescem todos os dias a insegurança pública, a violência, o narcotráfico, a imoralidade, a perda dos valores morais. Assistimos com tristeza e vergonha a crise nos parlamentos, no poder judiciário e também no poder executivo. Nossas instituições estão levedadas pelo fermento da corrupção. A crise invadiu com seus tentáculos até mesmo a Igreja. Porém, a maior de todas as crises é a crise familiar. Há sinais de desintegração da família por todos os lados: O índice de divórcio chega a 50% em alguns países. Uma pesquisa realizada recentemente com 3.600 crianças concluiu que 14% delas são filhos de pais solteiros e 40% viverão em um lar separado antes de atingirem a idade de 18 anos. Nos últimos trinta anos, o número de pais solteiros cresceu 450%. A pornografia escraviza hoje mais de 30% da população. O homossexualismo está sendo promovido como virtude. Os pais estão cada vez mais ocupados e os filhos cada vez distantes de um relacionamento estável com a família. Estamos assistindo à morte do diálogo na família.

Um homem que tinha tudo para ser um grande pai

A família do sacerdote Eli é um exemplo de uma família que tinha tudo para dar certo, mas desintegrou-se. Embora tenha sido um grande homem, ele fracassou como pai; era famoso fora dos portões, mas um perdedor dentro de casa; cuidava dos outros, mas esqueceu-se da própria casa. Vejamos pontos importantes sobre Eli para nossa reflexão:

Eli tinha uma posição muito respeitada (1Sm 4.18). Eli ocupava duas funções que exigiam muito de seu tempo: era sacerdote e também juiz de Israel. Era um líder nacional, um homem muito ocupado com os negócios do povo e com as coisas de Deus e manteve uma posição respeitável durante os quarenta anos em que esteve em Siló como sacerdote e juiz. Todavia, sucesso profissional não é garantia de sucesso familiar. Muitos

Um grande homem que fracassou como pai

daqueles que colhem os maiores louvores fora de casa colecionam, ao mesmo tempo, os maiores fracassos dentro da família.

Eli era um homem crente (1Sm 2.11). Como sacerdote, representava o povo diante de Deus. Instruía o povo na Palavra e intercedia por ele. Seu nome significa "Jeová é o meu Deus". Ele era um homem de fé, a boca de Deus. Certo dia disse à Ana: "Vai em paz para a tua casa e o Senhor lhe conceda a petição que lhe fizeste" (1Sm 1.17) e Ana concebeu e deu à luz a Samuel. Como podemos ver, Eli tinha poder e autoridade espiritual. Há homens que desenvolvem uma relação vertical, mas negligenciam os seus relacionamentos horizontais, cultivam o relacionamento com Deus e rompem os laços familiares. Há homens e mulheres de oração que sabem falar com Deus em secreto, mas não sabem falar com os filhos em público; têm intimidade com o céu, mas perderam o contato com a terra.

Eli era um homem espiritualmente sensível (1Sm 3.8,9). Quando Deus chamou o jovem Samuel, Eli sentiu que a ordem vinha mesmo do Senhor e disse a Samuel o que fazer. Ele discerniu a presença de Deus naquela noite, sabia o que significava comunicar-se com Deus. Era um homem capaz de discernir a voz de Deus, sensível às coisas espirituais. Ele conhecia o Senhor e discernia sua voz quando se tratava dos outros, mas não quando se tratava de seus filhos. Deus lhe exortou algumas vezes a respeito do pecado de seus filhos. Eli não teve pulso para corrigi-los. Havia uma esquizofrenia profunda na espiritualidade deste sacerdote. Ao mesmo tempo em que mantinha sua intimidade com Deus, distanciava-se de seus preceitos em relação ao cuidado espiritual dos filhos. Embora tenha sido zeloso com os filhos dos outros foi negligente com os próprios filhos. Foi referencial para o povo e omisso com os filhos. Ganhou os filhos dos outros e perdeu os seus.

Era um líder estável em seu trabalho (1Sm 4.18). Eli não foi um homem inconstante, ele ministrou em Siló por quarenta anos como sacerdote e julgou Israel durante todo esse tempo. Era um homem estável em seu trabalho, um líder entre o seu povo. Todos esses atributos, porém, não o transformaram em um pai exemplar. Ao alcançar a notoriedade fora dos portões, colheu derrotas amargas dentro da família. Foi bênção para milhares de pessoas, mas um fracasso dentro do lar. Demonstrou autoridade na vida de outras pessoas, mas perdeu a autoridade com seus próprios filhos.

Filhos que tinham tudo para ser uma bênção

Hofni e Finéas, filhos de Eli, tinham tudo para ser homens de Deus, vasos de honra, servos abençoadores. Vejamos aqui pelo menos três motivos para que tivessem sido homens de Deus.

Eles tinham um pai crente. Durante quarenta anos, Eli foi certamente a maior referência espiritual da

Um grande homem que fracassou como pai

nação. Poucos jovens têm o privilégio que Hofni e Finéias tiveram, ou seja, a bênção de ter um pai crente, piedoso e conhecedor da Palavra de Deus. Há filhos que enfrentam oposição e hostilidade dos pais para servirem a Deus e, mesmo assim, permanecem resolutos em andar com o Senhor. Sadhu Sudar Singh foi perseguido pela família e deserdado pelo pai ao se tornar cristão. Mesmo sofrendo toda sorte de oposição, permaneceu firme e triunfou. Hofni e Finéias se acostumaram com as coisas sagradas. As coisas de Deus já não eram novidades para eles. Perderam a reverência, o temor e o sentimento de respeito ao culto. Criar filhos na igreja não é garantia de sucesso na formação moral e espiritual deles. Há muitos jovens perdidos dentro das igrejas. Não estão no mundo, mas o mundo está neles.

Eles cresceram dentro da Casa de Deus. Estavam acostumados com o culto divino. Lidavam com o sagrado. Ouviram mais a Palavra de Deus do que qualquer outra pessoa em Israel. Estavam absolutamente atualizados com o conhecimento da verdade. Cresceram em um ambiente saudável. Não se envolveram com pessoas más nem se desviaram por caminhos íngremes. Eles nasceram e cresceram dentro da Casa de Deus. Apesar disso, entregaram-se à devassidão. Na verdade, não é o meio ou o poder que corrompem, eles apenas revelam a corrupção do coração. O mal não vem de fora, mas de dentro. Os filhos de Eli refutam a tese de John Locke de que o homem é uma tabula rasa, uma folha em branco, um produto do meio. O fracasso moral de Hofni e Finéas desbanca Jean Jacques Rousseau, quando este afirmou que o homem é essencialmente bom. Esses jovens tinham um pai crente e foram criados em um ambiente sagrado, mas manifestaram-se profundamente corruptos. A maldade não estava na estrutura ao seu redor, mas dentro do próprio coração.

Eles eram sacerdotes do Senhor. Hofni e Finéas estavam envolvidos com as coisas de Deus. Ensinavam ao povo a Palavra de Deus, oravam pelo povo, ofereciam sacrifícios ao Senhor, representavam espiritualmente a nação israelita. Mas, a despeito de todas essas imensas atribuições, desviaram-se do Senhor e transformaram-se em filhos de belial, em adúlteros rebeldes. Viveram uma vida dupla. Tentaram amar a Deus e ao mundo, servir a Deus e à carne, ser servos de Deus e filhos de belial ao mesmo tempo. Eles ocupavam a maior posição, mas viviam de forma escandalosa; tinham ministério, mas não vida; eram líderes, mas não exemplo; eram sacerdotes, mas filhos do maligno.

Sinais da derrocada espiritual desses jovens

Eles eram sacerdotes, mas absolutamente profanos (1Sm 2.12). Hofni e Finéas eram incrédulos, rebeldes, blasfemos e filhos de belial. Eram sacerdotes profissionais, mas não se importavam com Deus; conviviam com o sagrado, mas não tinham respeito por Deus, por sua lei

Um grande homem que fracassou como pai

e pelo povo. Cresceram na igreja, mas não temiam ao Senhor. Quanto mais perto da igreja estavam, mais longe do Senhor viviam. Lideravam e ensinavam o povo, mas eram ímpios. Talvez tenham conduzido alguns no caminho da salvação, mas eles mesmos estavam perdidos. É muito triste quando divorciamos o ministério da vida, a teologia da ética, quando apontamos o caminho da vida para os outros enquanto nós mesmos tomamos os atalhos sinuosos que levam à morte.

Eles eram sacerdotes, mas desprezavam o culto divino (1Sm 2.17). Não respeitavam a orientação da Palavra de Deus quanto às ofertas trazidas à Casa de Deus (Lv 7.30-34; 3.16; 7.23-25). Exerciam o sacerdócio apenas para satisfazer seus apetites, não dando honra ao nome do Senhor. Para eles, o ritual era apenas uma tarefa pública que lhes levava comida ao estômago. Estavam na igreja, trabalhavam na igreja, mas não conheciam a Deus na intimidade. O conhecimento de Deus que ostentavam era apenas teórico. Professavam conhecê-lo, mas o negavam por suas obras. Desrespeitar as coisas de Deus lhes era costumeiro (2.13). Muitos ainda hoje fazem da igreja apenas um lugar onde abastecem sua vaidade, onde se completam e se enriquecem em nome da fé. Não faltam aqueles que, desavergonhadamente, ousam mudar a Palavra de Deus, tornando-a um livro mágico e místico, criando mecanismos mirabolantes a fim de assaltarem o bolso das pessoas em nome de Deus.

Eram sacerdotes, mas viviam escandalosamente na imoralidade (1Sm 2.22). Ambos adquiriram má fama e não se preocuparam em ocultar suas imoralidades. Pecavam contra as pessoas de quem deviam cuidar e pastorear. Eles pecaram dentro da própria Casa de Deus. Eram homens casados, porém adúlteros. Não respeitavam a Deus, seus cônjuges, a Palavra do Senhor, o sacerdócio e nem o povo. A vida moral decadente desses sacerdotes estava em descompasso com a alta posição espiritual que ocupavam. Os filhos de Eli faziam da liderança não uma oportunidade para se santificarem e servirem a Deus e ao povo, mas para se afundarem ainda mais na prática de aberrações morais. Não apenas adulteravam sexualmente, mas adulteravam no altar. O pecado que cometiam era pior que o das demais pessoas, pois pecavam contra um conhecimento maior. Era mais hipócrita porque denunciavam o pecado público e o praticavam dentro da casa de Deus. Era mais desastroso porque, ao caírem, mais pessoas eram atingidas.

Eram sacerdotes, mas faziam o povo tropeçar (1Sm 2.24). Como acabamos de dizer, os pecados dos filhos de Eli eram mais graves, mais hipócritas e mais desastrosos que os pecados das demais pessoas. Os filhos de Eli eram pedra de tropeço para o povo. Charles Spurgeon diz que não há maior instrumento do diabo dentro da igreja do que um ministro ímpio e impuro. Se a vida do líder é a vida da sua liderança, os

Um grande homem que fracassou como pai

pecados do líder são os mestres do pecado. Um líder nunca é uma pessoa neutra. Liderança é influência. Um líder bom influenciará para o bem, mas um mau líder influenciará para o mal. Os filhos de Eli não ajudavam o povo a se aproximar de Deus, mas eram a causa de seu tropeço.

Eram sacerdotes, mas não ouviam conselhos nem advertências (1Sm 2.23-25). Hofni e Finéas não honravam a Eli nem a Deus. Quem desobedece aos pais desobedece a Deus. O pecado da rebeldia é como o pecado da feitiçaria. Os filhos de Eli eram rebeldes e, por isso, trouxeram vergonha e opróbrio para seu pai, sua família, bem como sobre toda a congregação de Israel. Quem não sabe ouvir não tem aptidão para ensinar. Quem não sabe receber repreensão não tem aptidão para repreender. Quem não se humilha sob a autoridade da Palavra de Deus não pode ser portador dessa Palavra. Porque os filhos de Eli desprezaram a Deus, Deus os desprezou. Porque rejeitaram a correção divina, foram quebrados repentinamente sem possibilidade de cura.

Um homem que fracassou como pai

Há alguns fatos bastante dolorosos acerca de Eli como pai.

Ele foi um pai ausente (1Sm 4.18). Por ter um trabalho itinerante quase nunca estava em casa. Sempre esteve muito ocupado cuidando dos filhos dos outros, ouvindo, aconselhando famílias, ajudando a resolver os problemas alheios e esqueceu-se de seus filhos. Os pais das demais famílias sempre podiam contar aos filhos as histórias de Abraão, Isaque e Jacó, mas Eli estava assoberbado com muitas outras coisas e não tinha tempo para os seus. Hofni e Finéas não tiveram um pai disponível. Moravam dentro da igreja, mas não tinham um pai presente. Quando se é criança, todos querem brincar com os pais e ficar com eles. Mas, quando já adultos, e os pais desejando esse momento de proximidade, são os filhos que já não querem mais.

Muitos pais hoje inventam ocupações desnecessárias, estão sempre dizendo: "Um dia desses teremos mais tempo". Mas, esse dia nunca chega. O diálogo está morrendo dentro dos lares. Assuntos diversos estão ocupando o lugar dos relacionamentos. O lar está se transformando apenas em um albergue onde as pessoas dormem. Já foi o tempo em que a família se reunia ao redor de uma mesa para uma refeição. Poucas famílias ainda mantêm o culto doméstico no qual os membros da família se deleitam na Palavra.

Há pais que estão sempre ocupados demais para ajudar os filhos. Substituem as coisas importantes pelas urgentes. Um exemplo disso é o filho que pede ajuda ao pai para fazer a lição da escola e o pai responde imediatamente: "Eu não tenho tempo" ou "Estou muito cansado". Depois de cinco minutos, o telefone

Um grande homem que fracassou como pai

toca e o filho vê o pai gastar meia hora em uma conversa fútil, e imediatamente, o filho conclui que não tem com o pai o mesmo crédito que os amigos. Em vez de construir pontes de contato com o filho, cava-se abismos no relacionamento.

Muitos pais perdem os filhos correndo atrás de outras aspirações. Conheci um homem que tinha três empregos. Ele tinha orgulho de acrescentar todo ano mais um carro, ou mais um apartamento na declaração de seu imposto de renda. Saía de manhã e deixava os filhos dormindo. Voltava tarde da noite e os encontrava adormecidos. O tempo se passou e esse pai não se dedicou aos filhos. Substituiu presença por presentes. Um de seus filhos morreu de overdose de cocaína ao completar dezoito anos. Esse pai chorou amargamente e disse que daria tudo para voltar atrás e fazer tudo diferente; seus bens não tinham mais sentido algum, já que perdera o filho, seu verdadeiro tesouro. Na verdade, nenhum sucesso compensa o fracasso da família.

Eli foi um pai omisso (1Sm 2.22-24; 2.29-34; 3.11,12,17,18). Ele não abriu os olhos para ver os sinais de perigo dentro do seu lar. Houve três advertências e mesmo assim não tomou as medidas necessárias para resolver o problema.

A primeira advertência veio do povo (1Sm 2.22-24) que não ocultava de Eli as transgressões de Hofni e Finéias. A voz geral que ressoava de todos os cantos

Pai, um homem de valor

dizia que os filhos de Eli eram motivo de escândalo e tropeço para toda a nação. Todos sabiam que estavam vivendo de forma escandalosa, que o que faziam era mau aos olhos do Senhor. A liderança de Eli estava arranhada por causa de seus filhos. A obra de Deus estava sendo prejudicada por causa de Hofni e Finéas. Mas a advertência de Eli foi frouxa. Ele os exortava sem qualquer vigor. Não os disciplinou, não os puniu nem os afastou do sacerdócio. Exortar os filhos apenas com palavras, mas não com ações.

A segunda advertência veio por um profeta anônimo (1Sm 2.27-34). Deus denunciou a ingratidão dos filhos de Eli. Lavrou a sentença de que o ministério deles iria acabar. Apontou a autoridade da sentença: "Assim diz o Senhor [...]". E mostrou o princípio sobre o qual Deus exerceria a autoridade: "Aqueles que me honram, eu honrarei [...]". O profeta falou sobre a repreensão de Deus (1Sm 3.29); sobre a rejeição (1Sm 3.30) e o castigo divino (1Sm 3.31-34). Mesmo diante dessa mensagem tão contundente, Eli não se mexeu. Sua passividade tornou-se reprovável.

A terceira e última advertência veio do próprio Deus por intermédio de Samuel (1Sm 3.11,12,17,18). Para os critérios de avaliação de Deus, a prova de fogo da liderança de um pai não reside no âmbito de suas habilidades sociais, mas de seu relacionamento familiar (1Tm 3.1-5). Eli foi omisso em corrigir seus filhos diante de tantas advertências. Ele foi fraco e débil.

Faltaram-lhe autoridade e pulso para corrigí-los. Faltou-lhe firmeza para criá-los na disciplina e admoestação do Senhor. Há pais que não aceitam quaisquer queixas contra suas crianças. Mesmo quando estão erradas, saem em sua defesa e, dessa maneira, em vez de ajudá-las, incentivam-lhes a continuar no caminho do pecado.

Eli foi um pai bonachão (1Sm 2.29b; 3.13). Honrou mais aos filhos que a Deus ao permitir que continuassem na prática de seus pecados e, ainda, permanecessem no exercício do sacerdócio. A sentença de Deus contra a casa de Eli foi pesada. Deus disse a Samuel a respeito de Eli:

"Porque já lhe disse que julgarei a sua casa para sempre, pela iniqüidade que ele bem conhecia, porque seus filhos se fizeram execráveis, e ele os não repreendeu" (1Sm 3.13).

A Bíblia diz: "Castiga a teu filho enquanto há esperança [...]" (Pv 19.18). Hoje há filhos mandando nos pais. Há pais sendo reféns dos filhos. Se não houver disciplina quando filhos ainda são pequenos, depois que crescerem se tornarão rebeldes e se constituirão na vergonha dos pais e no opróbrio da família.

Eli foi um pai conivente (1Sm 2.29). Não só deixou de corrigir os filhos, como se tornou participante dos pecados deles. A Bíblia diz que ele morreu *pesado*. E por quê? O escritor sagrado responde: "E, tu, por que honras a teus filhos mais do que a mim, para tu e eles vos engordardes das melhores de todas as ofertas do meu povo Israel" (1Sm 2.29). Eli comeu também a carne que seus filhos haviam tomado inescrupulosamente do sacrifício. Aceitou o estilo de vida que levavam. Tornou-se cúmplice dos pecados deles. Tolerou o erro e depois se tornou partícipe dele. Ele perdeu a autoridade espiritual sobre os filhos.

Eli foi um pai fatalista (1Sm 3.18). Aceitou passivamente a decretação de derrota sobre sua casa. Não reagiu nem clamou por misericórdia. Não orou nem intercedeu por seus filhos. Entregou os pontos e desistiu. Eli não tinha mais forças para lutar pela salvação de sua casa.

Pai, não entregue os pontos! Não jogue a toalha! Não desista de seus filhos. Não abra mão de sua família! Você não gerou filhos para a morte. Você não gerou filhos para o cativeiro. Ore, lute, chore e jejue pela salvação deles. A família de Eli acabou em tragédia porque seus filhos pensaram que podiam fazer a obra de Deus sem santidade. Na guerra contra os filisteus, quatro mil homens morreram. Hofni e Finéas, então, trouxeram a arca da aliança, símbolo da presença de Deus, mas a arca foi roubada, trinta mil homens caíram mortos e eles também foram passados ao fio da espada. Eli recebeu a notícia da tragédia, caiu da cadeira, quebrou o pescoço e sua nora deu à luz um filho a quem chamou de Icabode: "Foi-se a glória de Israel". Aquela família só reconheceu que

Deus estava longe deles depois da tragédia. Será que a glória do Senhor está se ausentando da sua casa, da sua família? É hora de agir. Façamos uma grande cruzada pela salvação de nossas famílias. Nenhum sucesso compensa a perda da família.

Lições práticas da experiência negativa de Eli

Há duas formas de aprendermos o caminho certo. A primeira delas é evitando os maus exemplos; a segunda é imitando a vida daqueles que andam retamente. O exemplo de Eli é negativo. Com Eli, devemos aprender o que um pai deve evitar. Examinemos seis perigos que se devem evitar, observando a experiência de Eli.

O perigo de cuidar dos outros e não cuidar da própria família. Eli investiu sua vida e seu tempo cuidando de outras famílias, mas se esqueceu da sua. Ele foi ágil e hábil para ajudar os filhos dos outros, mas vagaroso em acompanhar e orientar os próprios filhos. Foi um juiz afamado fora dos portões de sua casa, mas um pai fracassado dentro das fronteiras de seu lar. Celebrou esplêndidas vitórias em seu trabalho e colheu amargas derrotas dentro de casa. Alguém já disse que Noé foi o maior evangelista de todos os tempos, pois, embora tenha pregado tantos anos e não tenha visto sequer uma conversão, levou toda a sua família para a arca. De que adianta levar multidões para a arca da salvação e ver perecer os próprios filhos?

Pai, um homem de valor

O perigo de ser famoso fora dos portões e não ter autoridade dentro de casa. Como já dissemos, Eli teve um ministério estável em duas áreas vitais da nação: política e espiritual. Eli, possivelmente, foi o homem mais conhecido em Israel por quatro décadas. Todas as famílias de Israel o conheciam. Tinha autoridade e poder para julgar o povo e interceder por ele, porém estava debilitado para pastorear sua própria família. Tinha autoridade com estranhos, mas não com os filhos. Ele era firme com os outros e frouxo com os de casa. Sua autoridade estava arranhada dentro da própria família. O nosso principal campo de ação deve ser a nossa própria família. Aquele que não sabe cuidar da sua própria família, como cuidará da Igreja de Deus?

O perigo de nos acostumarmos com as coisas sagradas a ponto de perdermos o temor de Deus. Hofni e Finéas eram sacerdotes, faziam sacrifícios em favor do povo, mantinham todos os rituais sagrados. A liturgia do culto estava sendo mantida. Mas nada daquilo fazia mais sentido para eles, pois só tinham a forma, só mantinham as aparências. A familiaridade com as coisas sagradas tirou deles o senso de reverência. Estavam tão acostumados com as coisas de Deus que passaram a desprezá-las. Estavam vivendo na prática desavergonhada de pecados escandalosos e ao mesmo tempo oficiando no templo. Assim, também há pais e filhos que estão vivendo de forma escandalosa na

Um grande homem que fracassou como pai

vida privada e pública, mas pensam que podem passar ilesos uma vez que continuam a freqüentar a igreja, mantendo seus rituais sagrados inalterados. Triste engano. O que o homem semear, isso ceifará. O seu mal feito cairá sobre a própria cabeça. Quem semeia ventos colhe tempestade!

O perigo de nos conformarmos com os pecados dos nossos filhos a ponto de estarmos mais preocupados em agradá-los do que em honrar a Deus. Eli é acusado de amar mais aos filhos que a Deus. Em vez de repudiar os pecados dos filhos e discipliná-los com firmeza e amor, Eli passou a ser conivente e cúmplice dos pecados deles. O amor que tinha não foi um amor responsável. O amor que retém a vara da disciplina é um arremedo do verdadeiro amor. Quem ama confronta. Melhor é a ferida causada pelo amigo do que a bajulação dos que covardemente deixam de confrontar o erro.

O perigo de aceitarmos passivamente a decretação da derrota em nossa família. Eli foi frouxo na disciplina e frouxo na intercessão pelos filhos. Evitou levar seus filhos às lágrimas do arrependimento e deixou de chorar ao ouvir a sentença da morte deles. Aceitou passivamente a decretação da derrota de sua família. Em vez de chorar, orar e clamar pelos filhos, ele se conformou. Em vez de clamar em favor dos filhos, ele admitiu que tinham chegado ao fim da linha. Eli desistiu e a última coisa que ouviu na vida foi a informação da morte que tiveram.

O perigo de estarmos desatentos para o fato de que o cálice da ira de Deus pode encher-se em relação à nossa casa. Deus mostrou a Eli de várias formas e por várias pessoas a grave situação de sua casa. A taça da ira de Deus jamais vem sem que antes as trombetas da advertência ecoem em nossos ouvidos. Eli tapou os ouvidos à todas as vozes que o confrontaram, não levando em conta que aquele que endurece a cerviz pode ser quebrado repentinamente. Ele subestimou as advertências solenes de Deus até que chegou o dia em que o Senhor disse: "Basta!" Então, sua família foi removida do caminho e a glória do Altíssimo foi afastada do povo.

capítulo três

UM PAI QUE ORAVA PELOS FILHOS

NÓS NOS PREPARAMOS PARA FAZER AS COISAS mais importantes da vida. Preparamo-nos para entrar na escola, para o vestibular, para um concurso público, para um pleito político, para uma viagem. Mas poucos são os homens que se preparam para a paternidade.

Há homens que ganharam notoriedade no mundo e fracassaram como pais. Que conquistaram riquezas e perderam os filhos; que tiveram tempo para estranhos, mas nunca para os filhos; que cultivam a simpatia de estranhos, mas abriram feridas na alma dos filhos. Consideremos o exemplo de Jó, um homem de valor, um pai de verdade.

Jó andou com Deus e legou aos filhos o rico exemplo de um caráter irrepreensível

> Havia um homem na terra de Uz, cujo nome era Jó; homem íntegro e reto, temente a Deus e que se desviava do mal. (Jó 1.1)

O maior bem e a maior herança que um pai pode deixar para os filhos são seu caráter honrado, sua vida impoluta, sua dignidade ilibada e seu exemplo irrepreensível. Jó era como um espelho para seus filhos. Há duas verdades que nos chamam a atenção em Jó.

Jó era um homem íntegro no meio de uma geração perversa (Jó 1.1). Ele aparece diante de nós apenas como um homem. Ele não era um super-homem, um herói, um gigante nem um anjo, mas apenas um homem. Era um homem verdadeiro, excepcional, um homem de valor. O mundo precisa de homens verdadeiros. A família precisa de homens verdadeiros. Certa vez, Diógenes saiu às ruas da Atenas, sol a pino, com uma lanterna acesa nas mãos. Alguém, estranhando sua atitude, lhe perguntou: "Diógenes, o que você procura?" Ele respondeu: "Eu procuro um homem verdadeiro". Hoje precisamos sair, também, de lanternas acesas, ao meio-dia, procurando um homem de verdade, um homem íntegro.

É preciso lembrar que Jó era um gentio, da terra de Uz. Seu país era eivado de idolatria. Na sua terra, as pessoas adoravam a muitos deuses. Mas ele andava com Deus no meio de uma geração mergulhada no caudal mais profundo do pecado, era íntegro no meio de uma sociedade que se corrompia. Jó nos mostra que a graça de Deus não está confinada apenas à uma raça ou a um povo. A graça de Deus floresce nos lugares mais desfavoráveis. Assim como Abraão e Moisés, foi encontrado fiel no meio de uma geração infiel. Precisamos brilhar como luzeiros no mundo. Precisamos ser como Obadias na corte de Acabe, como Daniel na Babilônia e como os santos na casa de César. Você, pai, pode ser um homem piedoso no seu trabalho e no seu lar. Não importa quem está ao seu redor. Você pode ser um influenciador.

Jó era um homem que associava sua vida moral à sua vida religiosa (Jó 1.1). Jó era verdadeiro em seu íntimo. O próprio Deus mesmo o chamava de "homem íntegro". Não havia ambigüidade nem hipocrisia em Jó. Deus está mais interessado em quem somos do que no que fazemos. Caráter é mais importante que desempenho. Integridade é mais importante que trabalho. Jó era inteiro. Foi íntegro na riqueza e permaneceu íntegro na pobreza. O caráter vem antes da grandeza e é sua base de sustentação. Jó foi íntegro nos dias de celebração e no vale mais escuro da dor e provação. Passou pelo teste da prosperidade e pelo teste da adversidade.

Jó também era verdadeiro externamente. Deus também o chama de "um homem reto". A retidão é conseqüência da integridade. Moralidade sem piedade é como um corpo sem alma. A retidão tem a ver com atos externos, a integridade com valores internos. A verdade no íntimo conduz a uma prática de justiça. Jó dá o seu testemunho: "Eu me fazia de olhos para o cego e de pés para o coxo. Dos necessitados era pai e até as causas dos desconhecidos eu examinava" (Jó 29.15,16).

Também, com respeito a seu caráter religioso, Jó tinha uma devoção positiva. As Escrituras registram que ele era "temente a Deus". Aqui está o segredo da integridade de Jó. Nenhum homem pode ter uma vida interior santa sem o temor de Deus. Os santos temem a Deus porque ele perdoa; o pecador porque ele pune.

Jó não apenas era tememente a Deus, como também se opunha ao pecado. A Bíblia completa dizendo: "[...] e que se desviava do mal". Um pai de verdade não é apenas temente a Deus, mas também odeia o pecado, foge do pecado e não transige com ele. Não é suficiente não pecar, devemos odiar o pecado em todas as suas formas e com toda a força de nossa alma. Devemos fugir da aparência de todo o mal.

Jó investiu no relacionamento com os filhos, plantando as sementes da amizade no coração deles

Seus filhos iam às casas uns dos outros e faziam banquetes, cada um por sua vez, e mandavam convidar as suas três irmãs a comerem e beberem com eles. (Jó 1.4)

Jó era um homem próspero e feliz. Tinha riquezas, era o homem mais rico do oriente. Mas a maior riqueza de Jó era a sua família. No mundo oriental, ter uma família grande era sinal da bênção de Deus. Os filhos eram como flechas na mão do guerreiro. E os filhos de Jó também tinham famílias felizes. Precisamos aprender a celebrar como família. Precisamos cultivar a amizade na família. Os irmãos precisam ser amigos, amáveis e carinhosos uns com os outros.

Muitos pais naquela época não conseguiam ter sucesso em manter os filhos unidos: Adão tinha apenas dois filhos quando Caim, o primogênito, sentiu inveja de Abel e o assassinou com requintes de crueldade (Gn 4.8). Abraão arranjou Ismael, contratando uma barriga de aluguel para buscar a descendência prometida em uma clara e desastrosa precipitação. Ismael caçoava de Isaque e os dois irmãos não puderam crescer juntos como amigos (Gn 21.9). Isaque semeou o ciúme e o ódio no coração dos filhos Esaú e Jacó e passou a velhice sozinho e amargurado (Gn 27.41). Jacó não aprendeu com os erros do pai e cometeu o pecado de preferir o filho José em detrimento dos demais e essa atitude levou os irmãos a odiá-lo. (Gn 37.4). Davi viu seus filhos crescerem sem serem amigos. Houve guerra dentro da casa do rei. Os filhos cresceram em um palácio, mas sem união fraternal (2Sm 13.28).

Os filhos de Jó aprenderam a celebrar juntos e a não se engalfinhar em brigas e contendas. Tinham tempo para estar juntos. Festejavam seus aniversários juntos. Convidavam uns aos outros. Eram unidos e se

Pai, um homem de valor

amavam. Mas essa união foi fruto do investimento de Jó, foi fruto da criação que receberam. Jó tinha tempo para os filhos. Ele costurou o vínculo do amor que manteve os filhos unidos.

Pai, seus filhos são unidos? O que você tem feito para criar no coração deles esse laço de união?

Jó exercia plenamente o sacerdócio no seu lar

Destacamos quatro preciosas verdades nesse aspecto.

Jó se preocupava com a salvação dos filhos (Jó 1.5). Dizem as Escrituras que Jó "oferecia holocaustos segundo o número de todos eles". Semelhantemente a Abraão, Jó tinha um altar em sua casa. Sabia que seus filhos precisavam estar cobertos pelo sangue. Jó sabia que não há remissão de pecados sem derramamento de sangue e não descansava enquanto não oferecia o sacrifício em favor dos filhos. Eu lhes pergunto: Seus filhos estão cobertos pelo sangue? Estão dentro da arca da salvação? Estão cobertos pelo sangue do Cordeiro? Não basta ter filhos saudáveis, inteligentes e realizados profissionalmente. Não basta ter filhos brilhantes nos estudos, nos esportes e na vida emocional. Precisamos ter filhos salvos.

A Bíblia nos fala de Ló. Ele amou mais o dinheiro que suas filhas. Levou a sua família para Sodoma e lá perdeu tudo e arruinou sua família. Os genros foram destruídos com fogo e enxofre. Sua mulher virou uma estátua de sal. Ele tornou-se pai de seus netos e avô de seus filhos. Sua descendência tornou-se uma sementeira maldita na terra. Nenhum sucesso compensa o fracasso espiritual dos filhos. O que adianta você ganhar o mundo inteiro e perder seus filhos?

O Salmo 78 nos desafia a ganharmos os nossos filhos para Deus. Os nossos filhos precisam ser mais filhos de Deus do que nossos. O maior investimento que fazemos é na salvação deles. Como já citamos, Noé foi um homem vitorioso, porque, embora tenha pregado 120 anos sem ver sequer uma conversão, levou todos filhos consigo para a arca.

Jó era como a águia, ele colocou o ninho dos filhos em alto refúgio, longe dos predadores (Jó 39.27,28). Jó não confiou na segurança da riqueza. Por isso, orava pelos filhos e oferecia holocaustos em seu favor.

Jó se preocupava com a santificação de seus filhos (Jó 1.5). A Palavra de Deus diz que: "chamava Jó os seus filhos e os santificava". Ele exercia forte influência sobre a vida deles. Tinha tempo para os filhos. Não substituía presença por presentes. Ele os chamava, os santificava e investia em sua vida espiritual. A Bíblia nos ensina a não provocar os nossos filhos à ira, mas a criá-los na admoestação e disciplina do Senhor. E exorta-nos a não irritarmos nossos filhos para que eles fiquem desanimados. A Bíblia nos diz que devemos guardar a Palavra em nosso coração e inculcá-la na mente de nossos filhos. E ensina-nos a liderar espiritualmente a nossa família, encorajando-a a servir a Deus. A Bíblia narra a história de Josué, o grande comandante que introduziu o povo de Israel na Terra Prometida. Ele desafiou sua nação, dizendo: "Eu e a minha casa serviremos ao Senhor" (Js 24.15). Pai, você tem santificado os seus filhos? Tem lido a Bíblia com eles? Tem feito o culto doméstico com eles? Tem chamado seus filhos para falar-lhes sobre Deus? Tem chorado diante de Deus pela salvação deles?

Jó se preocupava com a vida íntima de seus filhos com Deus (Jó 1.5). E pensava: "Talvez tenham pecado os meus filhos e blasfemado contra Deus em seu coração". Ele se preocupava não apenas com a vida exterior dos filhos, mas com os sentimentos do coração. Talvez a prosperidade pudesse levá-los a amar mais as coisas da terra que as coisas do céu. Queridos pais, precisamos estar atentos não apenas com a aparência, mas com a vida íntima de nossos filhos. Não basta dar-lhes roupas de grife, colocá-los nas melhores escolas se não temerem a Deus no coração. Nós, que ficamos angustiamos quando vemos nossos filhos doentes, será que temos nos preocupado com a pior de todas as doenças, o pecado, que pode destruí-los? Querido pai, você se preocupa com os problemas de seus filhos? É amigo, confidente de seus filhos? Seu coração está convertido ao coração deles?

Jó era um pai intercessor (Jó 1.5). Mais do que pais cultos, ricos e famosos, precisamos de pais que orem por seus filhos. Jó orava por todos eles. Orava individualmente em favor de cada um e especificamente em favor de cada necessidade. Cada filho tinha uma necessidade, um problema, um temperamento, uma causa diferente. Cada um tinha tentações, provações e necessidades diferentes. Precisamos aprender a colocar no altar de Deus os nossos filhos e suas causas. Como Ana, precisamos devolver nossos filhos para Deus para que realizem os sonhos de Deus e não apenas os nossos. Como os pais de Sansão, precisamos orar por nossos filhos antes mesmo de eles nascerem.

Vemos também que Jó orava de madrugada pelos filhos. Ele era o homem mais rico do Oriente. Tinha muitos negócios, muitos empregados, uma agenda atribulada com muitos compromissos. Mas o melhor do seu tempo era dedicado para interceder pelos filhos. Ele gastava o melhor do seu tempo intercedendo pelos filhos. Tim Cimbala, pastor da Igreja do Brooklin, em Nova Iorque, fala de sua filha primogênita que se mostrava insensível ao evangelho. Mesmo tendo um ministério reconhecido no mundo inteiro, estava perdendo a batalha dentro da própria casa. Sua filha, ainda adolescente, saíra de casa e mergulhara nas sombras espessas do mundo. Ele pensou até mesmo em abandonar o ministério. Sua dor era avassaladora. Um dia, um amigo lhe sugeriu deixar de sofrer pela filha e seguir adiante no ministério.

Pai, um homem de valor

Mas como um pai pode esquecer-se de um filho, de uma filha? Certa noite, em um culto de vigília, uma irmã da igreja levantou-se e disse que aquela igreja nunca tinha chorado em favor da menina. Então os irmãos deram as mãos e fizeram um grande círculo ao redor dos bancos e, naquela noite, o santuário transformou-se em uma espécie de sala de parto. Houve lágrimas, soluços e gemidos diante de Deus, rogando ao Senhor pela libertação dela. Logo que amanhaceu o dia, o pastor regressou à sua casa e disse para a esposa que estava convicto de que Deus havia libertado sua filha naquela madrugada. Dois dias depois, bem de manhã, a campainha tocou e, quando abriram a porta, a menina entrou com lágrimas nos olhos dentro de casa e caiu de joelhos diante de seu pai, perguntando-lhe o que havia acontecido naquela madrugada, dois dias atrás. Confessou que foi tomada por uma profunda convicção de pecado e que desejava voltar para Deus, para a família e para a igreja. Deus restaurou aquela menina e o instrumento que usou foi a oração intercessória!

Jó também orava perseverantemente pelos filhos. Era um homem de oração, um pai intercessor. Ele era o sacerdote do seu lar e acreditava que seus filhos dependiam mais da bênção de Deus que do dinheiro. Seus filhos eram ricos, mas careciam de Deus. Seus filhos tinham tudo, mas dependiam de Deus. O tudo sem Deus é nada. A maior necessidade dos filhos é de

Deus e não apenas de suas bênçãos. Jó não abria mão dos filhos. Ele não desistia de orar por eles.

Resumindo, Jó orava pelos filhos mesmo depois de estarem casados. O ministério de Jó não terminou mesmo depois que se tornaram adultos. Todos já estavam em suas próprias casas, mas Jó continuava velando pela vida espiritual de cada um. Embora talvez não estivessem mais debaixo do abrigo de seu teto, mantinha-os debaixo do abrigo de suas orações. Nunca abra mão de colocar seus filhos no altar de Deus. Seus filhos são filhos da promessa, são herança de Deus. Você não gerou filhos para a morte. Seja um reparador de brechas, a fim de que possam reparar as bases dessa geração.

capítulo quatro

Um pai que lutou pelos filhos e depois os perdeu

Davi foi um homem incomum, que demonstrou zelo e fervor em tudo o que fez. Amou a Deus com intensidade e expressou isso através de seus salmos. Mas também caiu vertiginosamente no emaranhado do pecado e cometeu atrocidades terríveis. O que fez dele um homem segundo o coração de Deus é que sempre demonstrou quebrantamento e disposição para o arrependimento. Sempre que foi confrontado, humilhou-se sob a poderosa mão de Deus.

Davi foi um pastor de ovelhas, um compositor inspirado, um músico de qualidades superlativas, um filho obediente, um homem corajoso, capaz de agarrar um leão pela barba e enfrentar vitoriosamente um urso devorador. Davi foi um guerreiro experiente, um líder carismático, um conquistador inveterado. Foi um homem de qualidades maiúsculas. Um adorador cheio do Espírito Santo. Um rei temido e ao mesmo tempo amado no mundo inteiro. Conquistou muitas vitórias e se tornou o maior de todos os reis de Israel.

Davi, um homem de Deus

Vejamos alguns aspectos da vida de Davi que o apontam como um homem de Deus.

Davi era um homem ungido por Deus (1Sm 16.12). Deus o escolheu dentre os filhos de Jessé, o tirou do cuidado das ovelhas e suas crias para ser o pastor de Jacó, seu povo, e de Israel, sua herança (Sl 78.70,71). Não foi apenas escolhido pelo povo, mas, sobretudo, escolhido por Deus. Ele chegou ao trono não por meio de um jogo político, mas pela escolha divina. Sua capacitação não veio tanto de seus talentos naturais, mas de sua unção sobrenatural.

Davi era possuído pelo Espírito Santo (1Sm 16.13). Davi não apenas foi ungido, mas, também, possuído pelo Espírito. O próprio Espírito o capacitou e adestrou suas mãos para o grande desafio de governar Israel, depois de um tempo turbulento sob a direção de Saul. A unção de Davi, entretanto, longe de levá-lo ao trono, levou-o ao deserto. O Espírito apossou-se dele não para conduzi-lo imediatamente ao auge do

Um pai que lutou pelos filhos e depois os perdeu

sucesso, mas para capacitá-lo a resistir com humildade aos ataques insanos de Saul. Ele recebeu poder não para se exaltar, mas para se humilhar. Foi capacitado a sofrer, antes de ser conduzido ao trono. Deus o conduziu pelas areias escaldantes do deserto, antes de leva-lo aos tapetes aveludados do palácio. Na verdade, Deus usou o rei Saul para impedir que Davi fosse um Saul II. Deus usou Saul para lapidar Davi.

Davi era um homem humilde (1Sm 16.21; 17.13-17,28). Ele não deixou o poder subir à sua cabeça, antes reconhecia que era Deus quem o conduzia em triunfo e tributava a Deus a glória pelas vitórias conquistadas. A humildade é a porta de entrada das vitórias mais expressivas. Onde chega a soberba, a derrota se estabelece. A altivez é a sala de espera da derrota. Humildade não é a ausência de autoconfiança, mas a confiança focada em Deus.

Davi era um homem bem-sucedido (1Sm 18.14). Tudo sobre o que Davi colocava a mão prosperava. Ele era um homem abençoado e abençoador. Deus mesmo o conduzia em triunfo e o fazia prosperar. Em todas as áreas, colecionava vitórias. Venceu as bestas-feras que espreitavam suas ovelhas. Venceu o gigante Golias que desafiava sua nação. Venceu exércitos e triunfou corajosamente sobre seus inimigos. Colecionou na vida muitas vitórias. Seu caminho estava pontilhado de gloriosas conquistas. De fato, era o próprio Deus que o fazia prosperar.

Davi era um homem segundo o coração de Deus (At 13.22). Davi não foi um homem perfeito, mas foi um homem quebrantado. Jamais endureceu sua cerviz. Sempre que foi confrontado pela Palavra de Deus, curvou-se arrependido. Era um homem obstinado, mas de coração derretido diante de Deus. Somente Davi recebeu este título na Bíblia: "Homem segundo o coração de Deus".

Davi, um homem que lutou pelos filhos

Um dos incidentes mais dramáticos na vida de Davi aconteceu no território filisteu. Ele estava foragido do insano rei Saul e buscou asilo político sob a égide do rei Aquis. Junto com seiscentos homens uniu-se ao rei filisteu e chegou até a ocupar a posição de escudeiro do rei. A cidade de Ziclague foi dada, a Davi e seus homens, como sua cidade refúgio. Quando o rei Aquis estava marchando com seu exército para guerrear contra Saul, Davi acompanhava sua comitiva. Nesse ínterim, os príncipes filisteus aconselharam o rei Aquis a dispensar Davi daquela peleja. Davi, então, voltou com seus homens para Ziclague e, quando chegaram, foram surpreendidos por uma dolorosa realidade. Os amalequitas haviam invadido com ímpeto a cidade de Ziclague, ferindo-a e queimando-a, tomando os despojos e levando cativos os filhos, as filhas e as mulheres.

Um pai que lutou pelos filhos e depois os perdeu

Quando Davi viu aquela cena aterradora, chorou publicamente até não ter mais forças (1Sm 30.4). Seus homens, revoltados, cada um por causa de seus filhos e filhas, voltaram-se contra Davi para apedrejá-lo (1Sm 30.6). Davi muito se angustiou com aquela situação, porém, em um lampejo de fé, reanimou-se no Senhor. Ele não entregou os pontos, não jogou a toalha, não se conformou com o decreto de derrota. Ele se reanimou no Senhor seu Deus e orou confiantemente: "Senhor, perseguirei eu o bando? Alcançá-lo-ei?" Deus lhe respondeu: "Persegue, porque tudo quanto eles tomaram de você, você vai trazer de volta" (1Sm 30.7,8). Davi e seus seiscentos homens saíram para a peleja com o propósito de recapturar os despojos, as mulheres, os filhos e as filhas. Esse fato nos ensina grandes lições.

Os inimigos são incansáveis em atacar as famílias. Os amalequitas representam todos os inimigos, humanos ou demoníacos, que atacam os nossos filhos para mantê-los cativos. São muitas as estratégias que o inimigo usa para seduzi-los e mantê-los em cativeiro. Os amalequitas atacaram Ziclague com fúria. Eles vieram para destruir completamente a cidade. O inimigo é cruel, não brinca, não dorme nem tira férias. Precisamos nos acautelar. O inimigo é versátil, tem muitas caras e usa muitos disfarces. Ele tem um variado arsenal e nos investiga meticulosamente a fim de encontrar algum flanco aberto em nossa armadura.

Pai, um homem de valor

Os pais não podem descansar enquanto seus filhos estiverem nas mãos do inimigo. Davi chorou e se angustiou, mas também se reanimou no Senhor, orou e agiu. Não apenas orou, mas se levantou e partiu para ação. E procedeu de forma tão resoluta que triunfou sobre os inimigos e tomou de volta seus filhos, suas filhas e toda sua família. Ele não aceitou passivamente o decreto de derrota e não descansou até ter de volta sua casa. Muitos pais desistem cedo demais. Muitos cônjuges desistem do casamento cedo demais. Não é sensato nem seguro abrirmos mão de nosso casamento e de nossos filhos. Precisamos investir o melhor do nosso tempo, dos nossos esforços, da nossa energia para lutarmos em favor de nossa família.

Os pais precisam chorar pelos filhos (1Sm 30.4). Quem chora está dizendo que alguma coisa está errada, que está inconformado com a situação e que não aceita passivamente o decreto da derrota. Precisamos chorar por nossos filhos. Não geramos filhos para o cativeiro. Não os criamos para entregá-los ao inimigo. Precisamos chorar pedindo a Deus o dom das lágrimas. Precisamos chorar pelos motivos certos. Precisamos chorar para vê-los restaurados. Tim Cimbala, pastor da Igreja Batista do Brooklin, como já dissemos, chorou e angustiou-se diante de Deus por sua família, sem jamais abrir mão dela. E Deus lhe deu a alegria de ver a menina voltar para o lar e para os braços do Senhor. Deus ouviu o seu clamor e as orações da

Um pai que lutou pelos filhos e depois os perdeu

igreja e sua filha voltou quebrantada, arrependida e salva.

Os pais precisam se reanimar no Senhor para resgatar os filhos (1Sm 30.6). O choro lava a alma, amolece o coração e ilumina os olhos. Quando nos prostramos em lágrimas diante do Senhor, levantamo-nos encorajados por Deus. Ele mesmo cura as nossas feridas, restaura a nossa sorte e traz nossos filhos de volta. Davi não se reanimou porque seus homens estavam ao seu lado ou por se considerar forte, porque os inimigos eram fracos nem mesmo por ter qualquer estratégia para vencê-los. Ele se reanimou apesar da solidão, de sua fraqueza e de sua aflição. Ele se reanimou no Senhor seu Deus. Quando nossos recursos acabam, os recursos de Deus continuam suficientes. Quando nossa fonte seca, as fontes de Deus continuam jorrando. Quando nossa força acaba, podemos ver o braço estendido de Deus lutando em nossa defesa. Com Deus não há causa perdida. Nele podemos triunfar, primeiro sobre nossos sentimentos, depois sobre as circunstâncias e, finalmente, sobre nossos inimigos.

Os pais precisam orar pela restauração dos filhos (1Sm 30.7,8). A reação de Davi não foi carnal, mas espiritual. Ele não reagiu com bravatas e punhos cerrados, mas com humildade e joelhos dobrados. Ele se reanimou e caiu de joelhos. Um homem nunca é tão grande como quando age com humildade e nunca é tão forte como quando está de joelhos em oração.

A nossa força não vem de dentro, mas do alto. A questão não é auto-ajuda, mas ajuda do alto. Davi fez uma breve oração: "Perseguirei eu o bando, alcançá-lo-ei?". Em outras palavras, Davi estava perguntando para Deus: "Senhor, eu levei de goleada do inimigo e deverei aceitar passivamente o decreto da derrota ou reagirei?" Deus ordenou a Davi que reagisse e lhe prometeu vitória sobre os inimigos. Tudo aquilo que o inimigo havia tomado de Davi ele haveria de trazer de volta. Deus estava prometendo restituir a Davi seus filhos, sua família e seus bens.

Os pais precisam lutar pela restituição dos filhos. Quando agimos com base nas promessas de Deus, somos invencíveis. O fraco ganha forças e o prostrado se levanta. Tornamo-nos verdadeiros gigantes quando lutamos com os olhos fixos na promessa. É importante ressaltar, entretanto, que Deus não nos promete amenidades, mas vitória nas tribulações. Ele não nos promete vida fácil, mas vitória certa; não a ausência de luta, mas o triunfo garantido; não uma caminhada fácil, mas a chegada segura. A luta foi tão sangrenta que duzentos homens de Davi ficaram para trás de tanto cansaço. Mas aqueles que estavam alimentados pela promessa prosseguiram, lutaram, venceram e tomaram de volta tudo o que o inimigo havia saqueado.

Os pais precisam resgatar os filhos. Davi não descansou enquanto sua família permaneceu nas mãos do

Um pai que lutou pelos filhos e depois os perdeu

inimigo. Ele não entregou os pontos. Não jogou a toalha. Não desistiu de seus filhos, de suas mulheres e das famílias de seus cooperadores. Davi lutou bravamente e resgatou tudo aquilo que Deus lhe havia dado. Precisamos ter pressa para reconquistar aquilo que o inimigo roubou de nossa vida. Não podemos afrouxar os braços nessa peleja. Não podemos nos conformar em perder nossas crianças para o inimigo. Não geramos filhos para o cativeiro. Não as criamos para entregá-las nas mãos do inimigo. Elas são herança de Deus, são filhos da promessa. Não podemos abrir mão pois pertencem ao Senhor. Por isso, devemos lutar em oração e não descansar até vê-las como coroas de glória nas mãos do Altíssimo.

Quando o povo de Israel estava saindo do Egito, faraó tentou mantê-los sob controle pelo menos de quatro formas. Primeiro, propondo que o povo servisse a Deus no próprio Egito (Êx 8.25). Essa proposta foi prontamente rejeitada por Moisés. Ela significava servir a Deus sem mudança de vida. A conversão implica em rupturas reais e profundas. Depois, propondo que o povo, ao sair, não fosse muito longe (Êx 8.28). Essa é a política da boa vizinhança, que também foi decisivamente rejeitada por Moisés. Em seguida, propondo que, ao saírem, deixassem as crianças (Êx 10.10,11). Essa proposta tinha como propósito dividir a família e manter sob o domínio da escravidão as crianças e os jovens. Moisés foi novamente firme e rechaçou a sugestão. Por fim, propondo que o povo deixasse no Egito seus rebanhos. Eles serviriam a Deus e os bens deles serviriam ao Egito (Êx 10.24). A resposta de Moisés foi digna de nota: "Nem uma unha ficará no Egito" (Êx 10.26). Não podemos deixar nada nas mãos do inimigo. Tudo o que somos e temos provém de Deus, é dele e deve ser consagrado de volta para ele.

Os pais precisam celebrar a libertação dos filhos. Davi não apenas teve coragem para lutar, como também disposição para agradecer. Não apenas tomou de volta o que lhe pertencia, mas também celebrou com alegria as vitórias espirituais. Davi agradeceu a Deus a restituição de seus bens, de suas mulheres e de seus filhos. Ele celebrou com os seus homens a bênção da restituição. Devemos orar por nossa família e devemos dar graças por tê-la aos pés do Salvador.

Davi, um homem que se afastou de Deus

Não obstante os fatos levantados acima serem legítimos e verdadeiros, Davi teve um período tenebroso em sua vida. Ele caiu em pecado e isso lhe custou muito caro. O pecado lhe custou mais caro do que estava disposto a pagar; prendeu-o por mais tempo do que queria ficar e teve conseqüências mais graves do que imaginou suportar. Analisaremos a seguir alguns aspectos dessa queda.

Antes de cair nos braços da amante, Davi caiu nos braços da solidão (2Sm 11.1,2). Davi era um guerreiro. Mesmo

Um pai que lutou pelos filhos e depois os perdeu

sendo rei, jamais se ausentou das batalhas mais sangrentas. Desta vez, porém, encontrava-se só no palácio. Já era tarde e ele ainda estava deitado no leito imperial, enquanto seus soldados encontravam-se na frente de batalha. Essa solidão foi a porta de entrada de uma terrível tentação. A falta de ocupação da sua mente lhe abriu as janelas sedutoras dos olhos antes mesmo de ver a janela aberta na casa de Bate-Seba. Há um ditado popular que diz que "cabeça vazia é oficina do diabo". Quem deixa de fazer alguma coisa proveitosa acaba fazendo alguma coisa perigosa.

Davi entregou-se à paixão lasciva a despeito dos avisos (2Sm 11.3). Davi amordaçou a voz da consciência antes de se deitar com Bate-Seba. Ele não apenas olhou uma mulher nua, como mandou saber quem era. Davi caminhou na direção da queda, mas Deus colocou mais um sinal de alerta para impedi-lo de cair. A mulher era Bate-Seba, esposa de um dos seus soldados. Urias não era um soldado qualquer, mas um de seus valentes. Ele deveria ter recuado diante dessa informação, mas, porque não leu as placas que Deus colocara em seu caminho, avançou um pouco mais rumo ao abismo.

Davi cometeu adultério a despeito dos perigos (2Sm 11.4). Davi estava cego pela paixão lasciva. Uma segunda comitiva é enviada à casa de Bate-Seba. Agora não se tratava de uma comissão investigativa, mas de uma escolta para trazê-la ao palácio. Bate-Seba veio e o rei se deitou com ela. O rei transformou o olhar em uma paixão e

Pai, um homem de valor

a paixão em um ato ensandecido. O desejo abrasador esvaziou sua mente de toda lucidez. A gratificação de seus desejos absolutos, imediatos e imperativos era a única voz que conseguia ouvir. O fiapo de linha do olhar tornou-se uma grossa corrente do desejo consumado. O rei que vencera o gigante agora era um nanico dominado pela paixão.

Davi mentiu a fim de manter as aparências (2Sm 11.5-13). Davi pensou em escapar de seu pecado, mas não levou em conta o juízo de Deus. A mulher ficou grávida e o marido não estava em casa. O escândalo em breve viria à tona e a credibilidade de Davi seria jogada por terra. Bate-Seba poderia ser apedrejada e Davi teria sua reputação arruinada. Foi então que Davi arquitetou um plano sagaz para trazer Urias para casa. Queria arranjar um bom álibi para seu crime. Mas ele não contou com outro fator, a integridade de seu soldado. Urias recusou-se a ir para casa, desfrutar os prazeres da vida conjugal enquanto seus companheiros encontravam-se no momento flamejante da batalha. Davi colocou a máscara da mentira e ofereceu a Urias importantes privilégios, dando-lhe presentes e banqueteando-se com ele. O rei tinha gestos bondosos, mas uma intenção maligna. Havia doçura em sua voz, mas impiedade em suas atitudes.

Davi matou Urias apesar de ele ser inocente (2Sm 11.14-25). Quando Davi viu seus planos serem frustrados, deu mais um passo na direção do abismo. Mandou matar

Um pai que lutou pelos filhos e depois os perdeu

Urias, e isso, com requintes de crueldade. Escreveu uma carta para Joabe dando ordens para colocar Urias na frente da batalha sem proteção alguma a fim de que fosse mortalmente ferido. E o mais grave, o próprio Urias foi o portador da carta do rei. Urias foi morto conforme o plano de Davi e, ao receber a notícia, o rei se pronunciou como segue: "Disse Davi ao mensageiro: Assim dirás a Joabe: Não pareça isto mal aos teus olhos, pois a espada devora tanto este como aquele [...]" (2Sm 11.25). O rei se tornou não apenas um assassino, mas um assassino frio e calculista. Sentia-se aliviado. Urias já não estava mais atravessando o seu caminho. Assim pensou.

Davi tornou-se hipócrita, apesar da confiança do povo (2Sm 11.26,27). Aos olhos humanos, o crime de Davi estava acobertado. Aos olhos de seus súditos, nada havia acontecido que pudesse macular a honra do rei. Depois que Bate-Seba chorou o luto pelo marido, Davi a trouxe para o palácio e fez dela sua mulher. Ainda pareceu um bondoso filantropo dentro de sua cultura poligâmica, casando-se com uma viúva desamparada. Humanamente falando, estava tudo perfeito. As coisas se encaixavam. Davi continuava no trono. Sua imagem não tinha sido arranhada. Sua reputação estava intacta. Urias já estava fora do caminho. Agora Bate-Seba era sua mulher. Porém uma nota estava destoando, uma peça não se encaixava no quebra-cabeça. "[...] porém isto que Davi fizera foi mal aos olhos do Senhor" (2Sm 11.27). Ninguém peca impunemente. O homem pode escapar do braço da lei e evadir-se da

Davi, um homem que se volta para Deus

Davi escondeu o seu pecado antes de ser confrontado (2Sm 12.1-15). Tomou providências para que as coisas parecessem normais aos olhos dos homens, mas não conseguiu despojar-se de sua própria consciência. O pecado é uma fraude, seu prazer tem gosto de enxofre. O rei perdeu a paz, a alegria foi embora de seu coração. Gemidos lancinantes ocuparam o lugar dos cânticos de vitória. A mão de Deus pesava dia e noite sobre ele. Seu vigor se tornou em sequidão de estio. Sua carne tremia e seus ossos ardiam de febre. As lágrimas se tornaram seu alimento. Até o dia em que Deus enviou ao palácio o profeta Natã. Este, por meio de uma parábola, desvendou o coração de Davi e destampou sua alma nua. Natã lhe disse: "Davi, tu és o homem..." (2Sm 12.7). Davi então se humilhou, arrependeu-se e confessou seu pecado (Sl 32, 38, 51). Deus então lhe perdoou, devolveu-lhe a alegria da salvação e restaurou sua alma.

Davi, um pai que não luta por seus filhos depois de ser rei

Davi teve muitos filhos. Amava-os e até mesmo os colocava nos lugares estratégicos de seu governo (2Sm

8.18). Mas, depois dessa experiência de pecado, parece ter perdido a autoridade sobre eles. Não o vemos mais confrontando os filhos (2Sm 18.5). Davi sofria por cada um, mas não conversava mais com eles.

Davi tornou-se um homem tão ocupado que não tinha mais tempo para os filhos. Eles tinham poder e riquezas, mas não a presença do pai. Situações dolorosas aconteceram na família e o rei não dedicou a mesma energia e mesma vivacidade para resolvê-las. É possível que seu vergonhoso pecado com Bate-Seba tenha minado sua autoridade e ele tenha se sentido desqualificado para corrigir os filhos. Alguns pontos devem ser destacados:

Davi não cuidou das amizades de seus filhos. Os filhos de Davi ocupavam o primeiro escalão do seu governo, tinham prestígio e poder, mas não eram amigos. Cresceram em berço de ouro, mas não tinham atitudes nobres. Havia distorções profundas no relacionamento dos filhos do rei e Davi não se apercebeu nem interferiu para a resolução dessas tensões. Amnom sentiu uma paixão doentia por Tamar, sua irmã. Absalão odiou Amnom a ponto de tramar e consumar seu assassinato. Esses conflitos são a conseqüência, mas a causa foi o descuido de Davi em não plantar no coração dos seus filhos a semente da amizade.

Davi não consolou sua filha diante do abuso imposto pelo irmão. Amnom nutriu um sentimento patológico no coração em relação a sua irmã Tamar e ficou perdidamente apaixonado por ela. Sua paixão foi tão intensa que chegou a ficar doente. Eles eram irmãos da parte de pai. Amnom se consumia visivelmente, guardando esse sentimento secreto no coração. Um dia, Jonadabe percebeu que Amnom estava abatido, tomado por uma profunda tristeza. Amnom descortinou-lhe o coração e desvendou-lhe os seus sentimentos mais secretos. Jonadabe deu-lhe um conselho perverso. Recomendou-lhe fingir-se de doente. Tamar deveria lhe visitar e, nessa visita, ficaria a sós com ele. Nesse momento, o rapaz deveria agarrá-la, forçá-la e possuí-la. Amnom seguiu à risca esse conselho maligno. Depois de violentar a irmã, sentiu por ela grande repulsa e a escorraçou de sua casa. Tamar sentiu-se descartada como um trapo sujo. Saiu humilhada e agredida tanto no corpo quanto na alma. Davi tomou conhecimento dessa tragédia, mas não chamou Tamar para consolá-la. Tamar buscou abrigo em Absalão, seu irmão, e não em Davi, seu pai que errou não pelo o que fez, mas pelo o que deixou de fazer. Ele deveria ter chamado Tamar para consolá-la. Sua filha precisava de apoio, consolo, encorajamento e suporte emocional. E esse consolo foi mal direcionado, porque Absalão, em vez de tratar do assunto de forma adequada, nutriu mágoa no coração por seu irmão a ponto de resolver matá-lo.

Davi não corrigiu o filho por sua loucura. Davi não só falhou em não consolar Tamar, como também falhou em

Um pai que lutou pelos filhos e depois os perdeu

não corrigir e disciplinar Amnom por sua atitude perversa e ensandecida. Esse jovem cometeu uma loucura em Israel: planejou um crime, atraiu a vítima, preparou o ambiente para que não houvesse possibilidade de defesa. Tamar tentou dissuadi-lo de sua loucura, mas ele a subjugou, violentou, humilhou e depois a escorraçou. Diante de uma falta tão grave, Amnom deveria de ser exortado, disciplinado e corrigido com grande rigor. Talvez Davi, tratando do assunto corretamente, tivesse impedido que outra tragédia acontecesse, o assassinato do próprio Amnom. A omissão do rei resultou em outra atrocidade dentro de sua própria casa.

Davi não agiu preventivamente para evitar outra tragédia. A animosidade instalada entre Absalão, irmão de Tamar, e Amnom tornou-se conhecida de todos. O que se ouvia dizer em Israel era que o semblante de Absalão não era favorável a Amnom. O ódio represado no coração daquele prenunciava uma torrente caudalosa de vingança contra este. Davi não procurou saber do coração de Absalão o que todos já estavam percebendo. Talvez porque estivesse longe, distante e distraído com outras coisas. Absalão, antes de cometer a loucura do assassinato de Amnon, ainda deu indícios para Davi. Promoveu uma festa e foi ao palácio convidar seu pai. Davi deu as desculpas cabíveis e diplomáticas para quem os encontros familiares deixaram de ser prioridade. Foi solicitado ao rei que pessoalmente se comprometesse a enviar Amnom a esse banquete. Davi perdeu a oportunidade para confrontar Absalão acerca de seus sentimentos. Preferiu o conforto da omissão ao desconforto do confronto. O rei calou-se quando deveria falar. Sua omissão abriu grandes brechas para o propósito perverso de Absalão. Amnom, que agira traiçoeiramente com sua irmã e também com requintes de crueldade, agora cai na armadilha e se torna vítima da traição de Absalão. A morte de Amnom foi a somatória da crueldade de Absalão e da omissão de Davi.

Davi não se abriu para o perdão. A ira de Davi se acendeu contra Absalão quando soube que Amnom tinha sido assassinado em uma emboscada. O mesmo Jonadabe, que empurrara Amnom para o abismo, induzindo-o a estuprar a irmã, naquele momento dava a Davi a fatídica notícia de que o jovem havia sido assassinado. O mesmo pai que não tomara nenhuma medida para disciplinar Amnom ou consolar Tamar, agora desejava se vingar de Absalão que precisou fugir de Israel e buscar asilo político longe de sua pátria. Dois anos se passaram e Davi não se moveu no sentido de perdoar o filho. Ele se fechou para o diálogo, para o confronto e para a reconciliação. Foi preciso o general Joabe interferir no caso para que permitisse a volta de Absalão a Jerusalém.

Davi não se abriu para o diálogo. Ele permitiu a volta de Absalão para Jerusalém, mas impediu que o filho visse o seu rosto. Ainda mantinha as relações corta-

Um pai que lutou pelos filhos e depois os perdeu

das com o filho. Ou seja, usou meias medidas, uma solução apenas paliativa. Em vez de aproveitar o momento para conversar com o filho, para confrontar sua atitude, para restaurar o relacionamento, este pai abriu mais uma ferida no relacionamento já traumatizado. Dois anos se passaram e o rei nada fez para restabelecer a comunhão com o filho. Chegou o dia em que o rapaz lhe mandou um recado, dizendo que preferia que seu pai lhe matasse a continuar mantendo em silêncio. Absalão sentia-se sufocado, pedindo socorro e Davi, como uma pedreira, mantinha-se absolutamente insensível. A falta de diálogo cava abismos, abre feridas e levanta muros de separação. Davi recebeu Absalão no palácio, deu-lhe um beijo no rosto, mas não lhe dirigiu uma palavra sequer. Seu silêncio gelado foi sentido como uma bofetada no rosto do rapaz. Cinco anos haviam se passado, muitas mágoas e feridas estavam escondidas no coração de ambos e nenhuma palavra proferida, nenhum confronto feito, nenhum perdão ministrado.

Davi subestimou o poder da mágoa. Subestimou o poder da mágoa no coração da Absalão. A atitude de endurecimento do pai desencadeou uma revolta incontida no coração do filho. O rapaz agora não pretendia mais conquistar o coração do pai, mas furtar o coração do povo. Seu propósito não é mais ser aceito pelo pai, mas tomar o lugar dele. Absalão inicia um projeto de conspiração contra o rei. Em três anos, arregimentou um exército, aliciou um grupo e se declarou rei. Capitaneando homens armados, rumou para Jerusalém afim de matar seu pai e lhe tomar o trono. Davi precisou fugir à noite de seu palácio e se escondeu do próprio filho. Absalão abusou das concubinas do pai em plena luz do dia. Davi precisou usar de suas estratégias militares mais sofisticadas para livrar-se das mãos dele. O mesmo filho, que chorava para ser atendido e recebido pelo pai, agora encontrava-se enfurecido desejando matá-lo. O anseio pelo perdão tornou-se fúria assassina.

Davi chorou tarde demais. Nessa fatídica peleja, Absalão foi assassinado por Joabe, comandante das tropas do rei. Essa vitória teve um gosto amargo para Davi. O inimigo eliminado era sangue de seu sangue e carne de sua carne. O filho que morre era o filho que queria seu perdão. Ao receber a notícia da morte de Absalão, ele chorou amargamente e disse: "Meu filho Absalão. Absalão, meu filho". Mas era tarde demais. As lágrimas do arrependimento deveriam ter sido derramadas antes para não estar chorando agora as do remorso. Embora amasse o filho, nunca verbalizou isso para ele. Davi expressou seu amor tarde demais, quando o rapaz já não podia mais ouvir sua voz, sentir seu abraço nem mesmo ouvir seu choro. O tempo de amar é agora. O tempo de perdoar é agora. O tempo de caminhar na direção da reconciliação é hoje!

Davi quis agradar sempre. A Bíblia nos diz que Davi nunca contrariou o filho Adonias (1Rs 1.6). Talvez se sentisse sem autoridade espiritual em virtude de sua história com Bate-Seba. Talvez não tivesse disponibilidade para estar com seus filhos e, por isso, não quisesse constrangê-los no pouco tempo que lhes restava. Talvez os amasse tanto que não conseguia ver os erros que cometiam. Talvez Davi fosse mesmo um pai bonachão que deixava a corda correr bamba.

Todavia, o papel dos pais não é agradar aos filhos, mas criá-los com responsabilidade. Não é dar a eles o que querem, mas o que precisam. Não é ensiná-los o "caminho no qual querem andar" nem apenas "o caminho que devem andar", mas ensiná-los "no caminho que devem andar". Davi foi um rei de grandes qualidades, mas um pai de miseras virtudes. Ele teve esplêndidas vitórias em seu reinado, mas fragorosas derrotas em seu lar.

capítulo cinco

Pais e filhos convertidos uns aos outros

O EVANGELHO COMEÇA NO LAR. Se o evangelho não atuar no lar, não funcionará em lugar algum. A mais bela expressão do evangelho é o lar feliz, no qual os pais entendem e têm tempo para seus filhos e estes, cercados de amor, crescem no conhecimento de Cristo.

A transformação do povo de Deus precisa começar na família. Não há igrejas fortes sem lares fortes. A volta para Deus implica em restauração de relacionamentos familiares.

O último livro do Velho Testamento, Malaquias, encerra sua profecia falando da conversão dos pais aos filhos e da conversão dos filhos aos pais (Ml 4.6).

A condição dada por Deus para a suspensão da maldição sobre a terra era exatamente essa conversão recíproca de corações dentro do lar.

Pais convertidos aos filhos

Inicialmente, precisamos identificar algumas características dos pais convertidos aos filhos.

São pais que dão mais valor aos filhos que às coisas materiais. Estamos vivendo uma inversão de valores em nossa sociedade. Esquecemo-nos de Deus, amamos as coisas e usamos as pessoas, quando deveríamos adorar a Deus, amar as pessoas e usar as coisas. Há pais que correm atrás de bens materiais e se esquecem dos filhos. Substituem o relacionamento familiar por conquistas financeiras. Quanto mais sobem na escala financeira, menos tempo eles têm para os filhos. Muitos homens chegam ao topo do sucesso e fracassam dentro do lar. Alcançam triunfos esplêndidos na vida profissional e perdem suas crianças. Os filhos não precisam tanto de presentes, mas de presença. A nossa herança não é o dinheiro, nem casas, nem carros ou bens, mas sim os filhos (Sl 127.3). Nenhum sucesso compensa o fracasso do relacionamento familiar.

Li certa vez sobre um menino que pedia todas as noites ao pai para brincarem juntos, e ajudá-lo a montar seu quebra-cabeça. O pai sempre dava uma desculpa e esquivava-se para os seus afazeres de adulto. Um dia, o menino sofreu um grave acidente e,

Pais e filhos convertidos uns aos outros

no leito de morte, antes de sucumbir aos ferimentos, sussurrou: "Papai, o senhor não me ajudou a montar o meu quebra-cabeça". Esse pai, aflito e perturbado disse que daria tudo para voltar ao passado e começar tudo de novo em seu relacionamento com o filho. Mas era tarde demais.

São pais que ensinam os filhos no caminho em que devem andar. Há uma crise de integridade avassaladora atingindo a família. Nosso mundo está confuso, perdido e entregue às filosofias humanistas. Os marcos que balizam os absolutos morais estão sendo arrancados. Os pais estão confusos e os jovens, perdidos na teia de uma cultura que promove os excessos, escarnece da virtude e empurra os incautos para a vala comum da mediocridade. Os pais estão perdendo o controle dos filhos. Não sabem mais para onde vão, o que fazem, com quem andam e a que horas chegam em casa. No Brasil, cerca de 25% dos filhos dormem com as namoradas dentro da casa dos pais e com o consentimento destes. Muitos jovens passam a noite inteira em boates, sob o som alucinante de músicas agitadas, embalados por bebidas alcoólicas e até mesmo drogas nocivas à saúde física, mental e espiritual. Antes da chamada "lei seca", multiplicavam-se os acidentes de carro provocados por pessoas alcoolizadas. É alarmante o número de jovens que se perdem em uma vida de boemia, capitulando-se às drogas.

Precisamos fazer uma grande cruzada em favor da família. Precisamos desesperadamente de um choque ético em nossa nação, que passe pela família. A figura mais importante nesse processo é a figura do pai. O homem foi constituído por Deus como cabeça da família. Ele precisa voltar a ocupar o seu posto de honra. Deve ser o líder espiritual da família. O pai, por sua vez, é o sacerdote do lar. Sua autoridade deve ser adquirida pelo exemplo e não imposta pela força. Volto a repetir: o pai deve ensinar os filhos não "o caminho que querem andar" nem apenas "o caminho em que devem andar", mas "no caminho em que devem andar" (Pv 22.6).

Os filhos precisam de modelos e não de discursos, de exemplos e não de palavras, de paradigmas e não de imposições. É da sabedoria popular que um exemplo vale mais do que mil palavras. Um ditado chinês diz que pegamos mais moscas com uma gota de mel do que com um barril de fel.

São pais que amam seus filhos incondicionalmente. Muitos pais amam a si mesmos e não aos filhos. Amam o sucesso dos filhos e não a eles. Há aqueles que vêem os filhos apenas como troféus de sua própria vaidade. É preciso amar os filhos de forma incondicional, amá-los mesmo quando tropeçam e caem, mesmo quando fracassam, ou não correspondem às expectativas paternas. Amar incondicionalmente, entretanto, não é um amor irresponsável, mas um amor sacrificial.

Pais e filhos convertidos uns aos outros

O filho pródigo havia desperdiçado os bens de seu pai e vivido de forma dissoluta. No fundo do poço, ou melhor, em um chiqueiro nauseabundo, caiu em si e resolveu voltar para a casa do pai. Sabia que não merecia mais o *status* de filho. Queria ser apenas um jornaleiro. Porém, seu pai o recebeu com honras. Nem mesmo lhe permitiu terminar o discurso de desculpas. Abraçou-o, beijou-o, vestiu-lhe com a melhor roupa, colocou-lhe sandálias nos pés e um anel no dedo. Matou um cevado e começou a festejar. Esse é o amor incondicional. É assim, também, o amor de Deus por nós. Deus nos amou não porque merecíamos o seu amor. Ele nos amou apesar de nós. Amou-nos quando éramos pecadores, quando éramos seus inimigos. Buscou-nos quando não o buscávamos. Amou-nos a ponto de nos dar seu Filho, seu único Filho, para morrer em nosso lugar.

São pais que têm um canal de comunicação aberto com seus filhos. A comunicação é o oxigênio da família. Sem comunicação, reina a morte – não a vida – na família (Pv 18.21). O divórcio acontece porque aconteceu antes a morte do diálogo. Há cônjuges divorciados e pais divorciados dos filhos. O diálogo está morrendo dentro da família. No século da comunicação virtual, estamos retrocedendo ao tempo das cavernas na comunicação real. Há pessoas que ficam duas horas em uma conversação virtual, mas não conseguem passar cinco minutos em um bate-papo real. Tornamo-nos

Pai, um homem de valor

especialistas na interação com as máquinas e desajeitados nos relacionamentos interpessoais. Estamos mais abertos a nos relacionarmos com estranhos que com os membros de nossa família. Somos mais sensíveis com os de fora que com os de casa. Somos mais polidos e educados com os estranhos que com os membros de nossa família. Muitos filhos têm medo de conversar com os pais ou já perderam completamente o estímulo. Há aqueles que não são amigos dos pais, não têm prazer em passar um tempo juntos nem mesmo conversam com eles, vêem os pais apenas como provedores e não como orientadores. Quando eram crianças, choravam para que ficassem do lado; agora, os pais choram para que fiquem com eles. Na infância, os pais não construíram as pontes de comunicação, por isso agora vivem isolados numa ilha de solidão enquanto os filhos vivem no continente, com janelas abertas para o mundo e com o coração trancado para eles.

São pais que perdoam seus filhos. Não existem pais nem filhos perfeitos. Não existem cônjuges nem casamentos perfeitos. Há falhas na família. Nós decepcionamos as pessoas e elas nos decepcionam. Não há relacionamentos saudáveis sem o exercício do perdão. Entretanto, há pais, que são duros demais com os filhos, tratando-os com rigidez e insensibilidade. Estão sempre cobrando, mas nunca elogiam; estão sempre disciplinando, mas nunca dão carinho; sempre

Pais e filhos convertidos uns aos outros

apontando os erros, mas nunca destacam os acertos. Filhos que crescem em clima de violência verbal e truculência nas atitudes serão inseguros e revoltados; obedecem aos pais não por respeito, mas por temor. Esses pais exercem uma autoridade imposta, não uma autoridade adquirida. Os filhos erram, algumas vezes deliberadamente; outras, inadvertidamente. Em ambas as circunstâncias, é necessário perdoar. O perdão não é complacência nem conivência com o erro. Não é uma carta aberta para a desobediência nem um cheque em branco para a irresponsabilidade. O perdão tem como propósito restaurar o faltoso e dar-lhe a oportunidade de recomeçar uma nova caminhada e reescrever sua história. O perdão restaura o faltoso e cura as feridas provocadas pela mágoa. Quebra as correntes da escravidão, faz uma faxina na mente, uma assepsia na alma e uma cura das memórias. O perdão torna a pessoa livre. O relacionamento de Absalão com seu pai terminou em tragédia porque Davi falhou em perdoá-lo. Onde o perdão é sonegado, a mágoa impera; onde está ausente, a conspiração se faz presente; onde não oferece vida, a morte se instala.

Filhos convertidos aos pais

Os pais devem se inclinar para os filhos e os filhos devem se inclinar para os pais; ambos devem estar convertidos uns aos outros. Destacaremos alguns aspectos dessa conversão.

Pai, um homem de valor

São filhos que obedecem aos pais no temor do Senhor. Os pais são autoridade de Deus na vida dos filhos. Uma autoridade delegada por Deus. Por isso, desobedecer aos pais é insurgir-se contra o próprio Deus. Os filhos devem obedecê-los como conseqüência de sua própria obediência a Deus. A rebeldia era um pecado punido com morte na antiga aliança, era considerada como o pecado de feitiçaria. Filhos desobedientes eram a vergonha do pai e a tristeza da mãe. O quinto mandamento do decálogo é também o primeiro mandamento com promessa e, neste preceito, Deus ordena: "Honra teu pai e tua mãe, para que se prolonguem os teus dias na terra que o Senhor, teu Deus, te dá" (Êx 20.12). O apóstolo Paulo, escrevendo aos efésios, interpreta esse mandamento e acrescenta:

> Filhos, obedecei a vossos pais no Senhor, pois isto é justo. Honra a teu pai e a tua mãe (que é o primeiro mandamento com promessa), para que te vá bem, e sejas de longa vida sobre a terra. (Ef 6.1-3)

São filhos que honram os pais. Uma coisa é obedecer, outra é honrar. Honrar é enaltecer, exaltar, falar bem. É possível obedecer sem honrar. Um motorista pode obedecer ao guarda de trânsito sem honrá-lo. Um empregado pode obedecer ao patrão e, ao mesmo tempo, debochar dele no coração. Um prisioneiro pode obedecer às leis da prisão sem honrar as pessoas que fizeram ou fiscalizam essas leis. Honrar

Pais e filhos convertidos uns aos outros

aos pais é fazer tudo para a alegria deles. É obedecer não apenas sob vigilância, mas por princípios; não apenas obedecer, mas fazê-lo com prazer e de todo o coração. Uma coisa é ouvir um "não" dos pais e entrar no quarto emburrado, outra coisa é ouvir um "não" e acatá-lo com humilde submissão. Honrar os pais é saber que eles desejam o melhor para os filhos. É ter consciência de que, mesmo que a sua vontade entre em conflito com a orientação paterna, é melhor obedecê-los. Os filhos que honram aos pais poupam a si mesmos de muitos sofrimentos, de muitas lágrimas e de muitas perdas.

São filhos gratos aos pais. A ingratidão é uma atitude desumana. Muitos pais sacrificam-se pelos filhos, dando a eles sua vida, saúde, sangue, suor, lágrimas e depois os filhos, impiedosamente, esquecem-se dos pais, fazendo pouco caso de todo o investimento que fizeram. Os filhos precisam ser gratos, precisam demonstrar essa gratidão por meio de palavras, gestos e atitudes. Nada fere mais que filhos ingratos, que não valorizam o esforço, investimento e sacrifício. Temos visto muitos filhos enjeitando seus pais e desprezando-os na velhice. Filhos os agredindo com palavras e tratando-os com desmesurada truculência. Há aqueles que chegam a ponto de abandoná-los em um asilo, considerando-os apenas como excesso de bagagem que deve ser deixado à beira do caminho. Filhos que estão mais interessados na herança ou brigando por

Pai, um homem de valor

causa do dinheiro paterno, e não zelando por eles. Filhos com mais interesse na morte dos pais que na vida deles. Filhos convertidos aos pais sabem honrá-los e lhes são gratos.

São filhos que cuidam dos pais. A velhice é uma realidade inegável, indisfarçável e incontornável. A população do mundo está envelhecendo rapidamente. Dentro de uma geração que cultua o corpo, a beleza e o poder, assistimos a corrida célere da população rumo à terceira idade. Cada fiapo de cabelo branco que surge em nossas cabeças é a morte nos chamando para um duelo. O tempo vai esculpindo em nossa face rugas profundas. À medida que o tempo avança, nossas pernas vão ficando bambas, nossos joelhos trôpegos, nossos músculos flácidos, nossas mãos decaídas e nossos olhos embaçados. Muitos pais, quando chegam à época da velhice, são vistos pelos filhos como estorvos, e são desprezados quando mais precisam deles. Muitos, na velhice, ficam isolados dos filhos e netos, vivendo no mais doloroso ostracismo. Muitos deles passam a velhice na mais amarga solidão. Filhos convertidos aos pais cuidam deles, sobretudo, na velhice.

capítulo seis

PAIS QUE INVESTEM NA VIDA DOS FILHOS

Os salmos 127 e 128 são duas preciosas pérolas que tratam e descrevem quatro estágios da família: O primeiro fala dos anos primaveris do casamento (Sl 127.1,2), o qual deve ser edificado no Senhor. Qualquer outro fundamento é frágil e não suporta as tempestades que se abatem sobre um lar. Deus instituiu o casamento e ele mesmo deve ser o fundamento, o edificador, o protetor e o galardoador da casa. O segundo é aquele em que os filhos nascem (Sl 127.3-5). Nesse estágio, os filhos são herança do Senhor e flechas nas mãos do guerreiro, são dádivas de Deus e bênção para os pais. O terceiro descreve a família reunida ao redor da mesa (Sl 128.1-3). Agora os filhos estão grandes e a família unida. A mãe traz beleza e vida, pois é como uma oliveira. Os filhos estão juntos e há diálogo e comunhão. Eles se reúnem para celebrar as coisas ordinárias da vida como tomar uma refeição. O último estágio é a fase dos netos (Sl 128.4,5). Agora, uma nova geração desponta. Esse lar continua unido e a nação é abençoada com a influência dessa casa tão preciosa. Esses dois salmos apontam algumas preciosas lições.

A família deve estar edificada em Deus

Deus é o idealizador da família. E pré-existe ao Estado e à Igreja. Nasceu no coração de Deus e só pode crescer sólida e estável erigida sobre esse fundamento. A maior necessidade dos lares não é de mais dinheiro, conforto ou prazer, mas da presença de Deus. Um lar sobre o qual Deus reina, mesmo que privado de bens materiais, desfruta do mais importante.

O salmista foi claro: "Se o Senhor não edificar a casa, em vão trabalham os que a edificam" (Sl 127.1). Os jovens precisam ser mais criteriosos no namoro, lembrando que seu casamento precisa ser feito no Senhor e que um casamento misto produz um lar dividido. Quando a Palavra de Deus deixa de ser a bússola, a navegação pelos mares encapelados da vida se torna muito perigosa. Muitos casamentos sucumbem porque não houve discernimento espiritual no namoro. A Bíblia diz que duas pessoas não podem andar juntas se não houver entre elas acordo (Am 3.3) e diz

Pais que investem na vida dos filhos

também que não pode haver comunhão entre luz e trevas (2Co 6.14-16) um casamento plenamente feliz entre aqueles que professam o nome de Cristo e aqueles que negam o seu nome. O casamento precisa ser como um cordão de três dobras, ou seja, a união não apenas do homem e da mulher, mas sim a união do homem e da mulher feita pelo Senhor (Ec 4.12).

A família deve dar prioridade aos valores espirituais

O salmista diz que "em vão as pessoas se levantam de madrugada e se deitam tarde. Aos seus amados, Deus dá enquanto dormem" (Sl 127.2). Há muitas famílias que estão se destruindo porque substituíram o relacionamento por coisas materiais. Há muitos pais que sacrificam a própria família no altar da ganância. Constroem torres e fortalezas econômicas e sepultam ali o casamento e os próprios filhos.

Vivemos um tempo no qual as pessoas só se preocupam com as coisas terrenas (Fp 3.19). O dinheiro deixou de ser uma moeda para se constituir em um ídolo. O dinheiro é o deus desta geração materialista e consumista. Muitas pessoas se casam e se divorciam por dinheiro, outras corrompem e são corrompidas por causa da ganância. Há pessoas que matam e morrem por causa do lucro fácil, outras trabalham honestamente, mas vivem extremamente ansiosas e aflitas pensando no dia de amanhã. O salmista diz que devemos trabalhar, mas também descansar na providência divina. Se investíssemos mais do nosso tempo para cuidar das coisas do Senhor, veríamos com maior alegria o Senhor cuidando das nossas coisas. Quando buscamos seu Reino em primeiro lugar, o próprio Deus supre nossas necessidades (Mt 6.33). A Bíblia diz que do Senhor vem a força para adquirirmos riquezas. Lembre-se: a bênção do Senhor enriquece e com ela não há desgosto.

O dinheiro não pode ser um fim em si mesmo, mas apenas um meio para suprirmos nossas necessidades. Devemos usar o dinheiro em vez de sermos usados por ele, fazer dele um mordomo e não nosso patrão. Devemos empregar o dinheiro para sustentar nossa família e socorrer os irmãos da fé. Devemos usá-lo também para ajudar o nosso próximo e, até mesmo, o nosso inimigo. O dinheiro não deve ser acumulado egoisticamente, mas repartido com generosidade. A semente que multiplica não é a que comemos, mas a que semeamos. O dinheiro é uma semente; quando a ofertamos com generosidade, colhemos com fartura. O próprio Deus multiplica a nossa sementeira e nos dá mais sementes para continuarmos semeando em outros campos.

O trabalho não pode tomar o lugar de Deus em nossa vida

O salmista nos exorta acerca da dedicação exagerada no trabalho a ponto de não termos tempo para Deus nem para a família. O trabalho pode tornar-se um vício em nossa vida. Podemos transformar uma bênção em um ídolo, algo bom e honrado em um instrumento de perigo para a nossa própria alma. O trabalho é bom e dignifica o homem. Foi Deus quem institui o trabalho, mas ele não pode substituir nosso relacionamento com Deus e com a família.

Nenhum sucesso compensa o nosso fracasso espiritual ou o fracasso de nossa família. O maior tesouro que possuímos não é o dinheiro, nem mesmo o sucesso profissional, mas sim nosso lar. Nada poderemos levar desta vida. Quando John Rockefeller, o primeiro bilionário do mundo, morreu, algumas pessoas no funeral perguntaram a seu contador: "Quanto o dr. John Rockefeller deixou?" Ele respondeu: "Ele deixou tudo. Não levou nem um centavo". Nem mesmo um centavo poderemos segurar em nossas mãos na travessia desta vida para a eternidade. Mas devemos levar nossa família conosco. Devemos lutar bravamente pela salvação de nossa família.

Os nossos filhos são presentes de Deus e a nossa maior riqueza

O salmista diz: "Herança do Senhor são os filhos, o fruto do ventre o seu galardão". A nossa herança não são bens materiais, mas os filhos. Não são casas, apartamentos e carros, mas sim os filhos. Nenhum homem ou mulher tornou-se mais feliz porque, em vez de um apartamento, passou a ter dois ou três imóveis.

Mas, certamente, nenhum casal pode viver feliz perdendo os filhos. É melhor morar em uma casa pobre e ter uma família unida do que viver dentro de um palacete em guerra constante. É melhor comer um prato de hortaliça onde há amor do que fartar-se com banquetes onde há contendas.

Os filhos são presentes de Deus. São a nossa verdadeira herança. Devemos investir neles mais do que na bolsa de valores. Devemos nos dedicar mais à sua criação e formação moral e espiritual que nos consagrarmos ao trabalho. Nenhum emprego, nenhuma empresa, nada é mais importante do que seus filhos. Nenhum sucesso profissional compensa a falta de investimento neles. Suas crianças são o seu verdadeiro tesouro, sua verdadeira riqueza, seu maior prazer e deleite.

O salmista diz que, além de serem herança de Deus, os filhos são também o seu galardão, ou seja, uma recompensa gloriosa. Aqueles que servirem a Deus com fidelidade, além da salvação, receberão galardões. Os filhos são considerados uma bênção extra, a expressão generosa da recompensa de Deus aos pais.

Os filhos são instrumentos de bênção na vida dos pais

O salmista prossegue em seu discurso e diz: "Como flechas nas mãos do guerreiro são os filhos da mocidade. Feliz aquele que enche deles a sua aljava". Três verdades sublimes devem ser destacadas aqui.

Os pais devem dar suporte aos filhos. Como já vimos, o guerreiro carrega as flechas nas costas antes de usá-las nas mãos. Da mesma forma, os pais carregam os filhos no coração, no ventre, nos braços, nos ombros, no bolso. Os pais entesouram para os filhos. Aqueles que deixam de cuidar dos filhos tornam-se piores do que os incrédulos. Os filhos precisam de toda sorte de suporte: espiritual, emocional, psicológico, moral e financeiro. Os pais devem apoiá-los e encorajá-los, devem ajudá-los em vida e não apenas deixar para eles uma herança depois da morte. Deixar uma herança para os filhos pós morte é lei; ajudar os filhos em vida é amor.

Os pais devem preparar os filhos para a vida. Há momentos em que deixá-los por si mesmos seria uma irresponsabilidade. Não preparamos nossos filhos para nós mesmos. Antes devem ser preparados para a vida. Mantê-los no ninho, depois de grandes, é desprepará-los para enfrentarem os desafios da vida. Os pais devem agir como a águia que, na hora certa, sacode os filhos e os arranca do ninho, empurrando-os para os desafios da vida.

Os pais devem lançar os filhos em alvos certos. Um guerreiro não desperdiça suas flechas. Ele as lança para longe, mas em um alvo certo. E assim devem ser criados na disciplina e na admoestação do Senhor, ensinados no caminho em que devem andar. Os pais devem amar a Deus, e inculcar nos filhos esse mesmo amor, devem criar os filhos para a glória de Deus, para realizarem os projetos de Deus. Nossos filhos devem ser reparadores de brechas, instrumentos de bênçãos nas mãos do Altíssimo. Eles não são troféus da nossa vaidade, mas vasos de honra nas mãos do Senhor para fazerem a sua vontade.

A família deve usufruir das bênçãos que vêm de Deus

O salmista continua a sua análise e diz que feliz é aquele que teme ao Senhor. Ele comerá do fruto do seu trabalho e tudo lhe irá bem (Sl 128.1,2). O temor do Senhor livra o homem do pecado, protege seus pés da queda, tira-o de lugares escorregadios e de tramas infernais. O temor do Senhor apressa os nossos pés para fugir da tentação, impede nossos olhos de contemplar o mal e blinda o nosso coração para não cobiçar o pecado. O temor do Senhor livra a família de assentar-se à roda dos escarnecedores, livra o homem de colocar diante de seus olhos coisas indecentes, livra a mulher de gastar tempo com futilidades, livra os jovens de namoros permissivos, livra a família de lucros desonestos. O temor do Senhor nos prepara o banquete da felicidade.

Aqueles que perdem o temor do Senhor cobiçam os banquetes da alegria, mas vendem a alma ao diabo. Aqueles que perdem o temor do Senhor calam a voz da consciência para obterem lucros desonestos e prazeres ilícitos. Mas, no fim, esses banquetes transformam-se em lamentos amargos e o perfume da alegria passa a ter o cheiro de enxofre. Por outro lado, quando vivemos na presença de Deus, podemos viver gostosamente usufruindo as bênçãos que emanam do próprio Deus. Comemos, então, não o pão roubado, mas o pão oferecido por Deus. Usufruímos, então, não das coisas que saqueamos ilicitamente dos outros, mas do fruto da graça do próprio Deus. A Bíblia diz que uns se dizem ricos sem terem nada; outros se dizem pobres, sendo muito ricos (Pv 13.7). É melhor ser um pobre rico do que um rico pobre!

A família ao redor da mesa, o banquete da felicidade

A felicidade não é um lugar aonde se chega, mas a maneira como se caminha. A felicidade não está nas coisas, mas nas atitudes. A felicidade não está no ter, mas no ser. John Rockfeller disse, certa vez, que a pessoa mais pobre que conhecia era aquela que só tinha dinheiro.

O salmista também fala da esposa como uma oliveira e dos filhos como rebentos da oliveira ao redor da mesa (Sl 128.3). Esse quadro é magnífico. A mulher sábia edifica a sua casa, é conselheira e amiga dos filhos. A mãe tem um papel fundamental na unidade da família, ela tem o poder de agregar toda a família. É o elo que une e estreita os membros da família. Todos os filhos estão reunidos. Não há disputa nem ciúmes entre eles. Todos são tratados do mesmo jeito. Todos são amados de igual forma. Todos participam do mesmo banquete da alegria.

Precisamos desesperadamente de lares unidos. As famílias estão vivendo separadas dentro de casa. Os filhos se refugiam em seus quartos e há famílias que até se comunicam dentro de casa pelo telefone celular. Há pessoas que ficam horas a fio em um bate-papo virtual, mas não conseguem conversar cinco minutos dentro de casa. Estamos criando famílias solitárias. A casa está se transformando em um albergue.

A vida pós-moderna está tirando de nós a bênção da comunhão familiar. Cada membro da família tem sua agenda, seu horário, seus compromissos. Perdemos o fio da meada. Não sabemos mais como resgatar essa comunhão. Temos tempo para tudo, menos para a família. Estamos sacrificando no altar do urgente aquilo que é verdadeiramente importante. É preciso relembrar que nada é mais importante do que vivermos unidos em família, celebrando o banquete da alegria, com gratidão e louvor a Deus, usufruindo das generosas bênçãos de sua graça.

A família é o berço da renovação da esperança

O salmo 128 termina dizendo que veremos os filhos dos nossos filhos. Enquanto uma geração envelhece, outra se desponta. Enquanto uns caminham para o ocaso da existência, outros surgem no horizonte. Enquanto uns tombam na frente da batalha, outros se levantam como soldados. Os netos dão alento de vida aos avós e acendem-lhes na alma a chama da esperança. Os netos estendem seu olhar para o futuro e, por isso sabem que Deus continuará escrevendo a história por intermédio de sua família.

O milagre da vida não cessa no lar. Ao mesmo tempo, temos gente embranquecendo os cabelos e gente começando a vida. Gente chorando a dor do luto e gente celebrando a festa da vida. Ao mesmo tempo em que uns ficam com os olhos embaçados, com as pernas bambas, com os joelhos trôpegos e as mãos decaídas, outros se firmam como mourões prosseguindo a jornada. Enquanto alguns guerreiros esvaziam as suas aljavas, outros estão enchendo-as de flechas. Bendito milagre da vida que se renova dia a dia na família!

A família precisa ser uma bênção para a nação

O salmista diz que os nossos filhos e nossos netos precisam contribuir para a paz da nação. A família é o maior celeiro do país. É desse canteiro fértil que saem

Pai, um homem de valor

seus verdadeiros heróis. É desse laboratório bendito que procedem aqueles que serão remédio de Deus para curar as feridas da nação. É desse santuário que se levantarão os profetas de Deus para fazer soar a voz da esperança.

A família é o maior patrimônio da nação. Uma família plantada em Deus, edificada na Palavra, cimentada pela argamassa do amor é o maior presente que podemos dar ao nosso país. Quando entregamos nossos filhos à sociedade como homens e mulheres de bem, estamos oferecendo uma contribuição valorosa para a promoção da paz e do progresso no mundo.

capítulo sete

Um exemplo de pai

Neste capítulo, examinaremos o texto de 1Coríntios 4.14-21 e destacaremos sete atributos de um pai exemplar. Obviamente, o texto aborda o assunto na perspectiva da paternidade espiritual. Porém, é perfeitamente cabível fazer uma aplicação legítima e oportuna para o relacionamento entre pais e filhos.

O apóstolo Paulo, depois de exortar firmemente a igreja de Corinto, mostrando sua imaturidade espiritual, aplica-lhe o bálsamo do consolo e a terapia do encorajamento. Em sua Primeira Carta aos Coríntios, Paulo trata os membros da igreja como a filhos amados e apresenta-se a eles como pai exemplar. Vejamos agora quais os atributos de um pai exemplar.

O pai é aquele que gera

O apóstolo Paulo escreve:

Porque, ainda que tivésseis milhares de preceptores em Cristo, não teríeis, contudo, muitos pais; pois eu, pelo evangelho, vos gerei em Cristo Jesus. (1Co 4.15)

A palavra "preceptor" aqui é *paidagogos*. É o escravo que tinha a responsabilidade de cuidar de uma criança e conduzi-la à escola. Não era um professor, mas aquele que levava o filho à escola e o deixava aos pés do mestre. E Paulo diz: "Vocês podem ter muitos que levam instrução até vocês ou os levam à instrução, porém só têm um pai. Nossa relação é estreita, sentimental, familiar e íntima. É uma relação de coração e de alma. Eu sou o pai de vocês! Eu gerei vocês!"

Destaco aqui dois pontos: O primeiro refere-se àqueles pais que geram filhos, mas não cuidam deles. Esses homens agem como meros reprodutores. Não basta ser um pai biológico. Não basta gerar filhos. Um pai exemplar é aquele que ama o que dele é gerado. Um pai de verdade é aquele que gera com responsabilidade. Não somos como os animais que apenas se reproduzem e depois perdem o vínculo com suas crias, esquecendo-se delas. Há muitos filhos gerados sem amor e sem responsabilidade. São fruto da paixão desenfreada e não do amor responsável. São filhos não desejados, não esperados com alegria nem bem-vindos, embora amados por Deus.

Um exemplo de pai

O segundo ponto que destaco é acerca daqueles pais que não geram, mas cuidam. Há homens que não podem gerar, mas são pródigos em amor. Esses são homens de verdade e pais de valor. Tratam os filhos adotivos como se os tivessem gerado. Aliás, os filhos adotivos são sempre amados e muito desejados. São frutos de uma escolha deliberada, de uma opção bem estudada, de uma decisão amadurecida. São filhos não do ventre, mas do coração. É um grande privilégio escolher ser pai de um filho que não se gera. É uma grande bênção ser um filho adotivo de alguém que optou por amar livremente. Essa relação é tão profunda e gloriosa que o próprio Deus nos amou imensamente e nos adotou e recebeu como filhos.

Paulo não gerou os crentes de Corinto biologicamente, mas gerou-os espiritualmente. Os pais podem gerar os filhos duas vezes: física e espiritualmente. Os pais devem lutar não apenas pela criação responsável dos filhos, mas também pela salvação urgente deles. Um pai de verdade é aquele que cuida não apenas do corpo dos filhos, mas também de sua alma. Eles velam não apenas pelas necessidades materiais, mas também, e sobretudo, por suas necessidades espirituais. Paulo não teve filhos biológicos, mas teve muitos filhos espirituais. Mesmo que não possamos gerar nenhum filho na terra, poderemos ter muitos filhos no céu.

O pai é aquele dá exemplo

O apóstolo Paulo continua: "Admoesto-vos, portanto, a que sejais meus imitadores" (1Co 4.16). A palavra "imitadores", no grego, é *mimetai*, de onde vêm "mimetismo" e "mímica". Ou seja, você ensina os filhos não apenas pelo o que você diz, mas, sobretudo, pelo o que você faz. Os filhos aprendem primeiro pelo exemplo, depois pela doutrina. Albert Schweitzer, um grande pensador alemão, declara que o exemplo não é apenas uma forma de ensinar, mas a única forma eficaz. Paulo podia ser exemplo para seus filhos e eles podiam imitá-lo porque ele imitava a Cristo. E disse: "Sede meus imitadores, como também eu sou de Cristo" (1Co 11.1).

Um pai de verdade, à semelhança de um espelho, não fala, demonstra; não grita, revela. Um exemplo vale mais que mil palavras. A vida dos pais fala mais alto que suas palavras. Nossos filhos vêem mais nossa vida que escutam nossas palavras. Se a vida dos pais não for reta, acabam desencaminhando os filhos em vez de educá-los. Os pais precisam andar na luz, viver de forma íntegra. Só assim poderão ser exemplo para os filhos.

O livro de Provérbios faz parte da literatura sapiencial. É um livro de sabedoria, cujos conselhos são práticos e muito oportunos. Lemos em Provérbios 22.6: "Ensina a criança no caminho em que deve andar, e, ainda quando for velho, não se desviará dele". Os pais

Um exemplo de pai

estão sempre ensinando. Ensinam para o bem ou para o mal. Nossos filhos são nossos discípulos. Estão sempre nos observando. Eles se encontram assentados na plateia da vida enquanto somos seus atores. Por isso nos aplaudem ou nos criticam. Gostam do nosso desempenho ou o detestam. Nós os ajudamos a enfrentar a vida ou os desqualificamos para essa engenhosa empreitada.

Há pais que destroem a vida dos filhos desencaminhando-os e pervertendo-lhes o coração. Há aqueles que iniciam os filhos na prática do erro. Que semeiam o joio em seu coração e fazem da vida deles uma lavoura maldita. Os pais devem matriculá-los na escola da vida e devem ser seus mestres mais excelentes. Deveríamos influenciar nossos filhos mais que qualquer outra pessoa. Deus no-los confia para forjarmos neles um caráter digno, para esculpirmos neles os predicados de uma vida irrepreensível e grandiosa.

Há ainda aqueles, que são mestres de nulidades. São alfaiates do efêmero e não escultores do eterno. São pais que fazem de seus filhos medalhas de vaidade, que destilam na mente deles apenas a cobiça pelo ter sem gerar neles a beleza do ser. Fazem de suas crianças prosélitos da ganância, prisioneiros da avareza e cativos das banalidades. Vivemos uma inversão de valores nessa sociedade pós-moderna. Coisas valem mais que pessoas. Desempenho vale mais que dignidade. Carisma vale mais que caráter. Sucesso vale mais que família.

Pai, um homem de valor

Há pais que preferem agradar os filhos que ensiná-los a viver. Precisamos distinguir entre desejo e necessidade. Nem tudo o que desejam, é uma necessidade. A função dos pais não é dar o que filhos querem, mas o que precisam. Muitas vezes, o que necessitam é o contrário do que desejam. O sacerdote Eli amou mais aos filhos do que a Deus. Por isso, deixou de corrigi-los. E, porque não os exortou na hora e na medida certa, ele os perdeu. O rei Davi nunca quis contrariar seu filho Adonias e esse moço tornou-se um homem mimado, caprichoso e acabou sendo assassinado por ordem do próprio irmão Salomão. Muitos pais dão tudo o que suas crianças pedem para compensar a ausência na vida delas. Mas presentes não substituem presença. A maior necessidade que possuem não é de coisas, mas dos pais.

Há pais que ensinam os filhos apenas o caminho em que devem andar. Essa é uma posição cômoda, mas insuficiente. Apontar o caminho certo não é o bastante quando se trata de educar os filhos. Precisamos ir além. Os pais que assim procedem adotam a filosofia: "Faça o que eu mando, mas não faça o que eu faço". Ensinemos os filhos não com meras palavras, mas, sobretudo, com exemplos.

Os pais precisam ensinar os filhos com exemplos. Ensinar no caminho é andar junto, é ser referencial, é servir de modelo e paradigma. Os pais são mais do que um mapa para ajudar os filhos a caminhar pelas estradas da vida. São guias que os tomam pela mão e caminham lado a lado pelas veredas sinuosas da história.

O pai é aquele que confronta

O apóstolo Paulo continua: "Não vos escrevo estas coisas para vos envergonhar; pelo contrário, para vos admoestar como a filhos meus amados" (1Co 4.14). A palavra grega usada por Paulo para "admoestar" é *nouthesia*. Esse termo traz a idéia de confronto com palavras. Os pais precisam acompanhar a vida dos filhos. Não podem ser alienados nem distantes. Precisam ter tempo para conversar, ser amigo e conquistar o coração deles. Eric Fromm diz que há dois tipos de autoridade: a imposta e a adquirida. Muitos só conhecem o primeiro tipo de autoridade. Ordenam porque detêm o poder, porque são os provedores, porque são mais fortes. Mas os pais, além de exercer legitimamente o primeiro tipo de autoridade, uma vez que foram constituídos por Deus para tal, devem, também, conquistar a confiança dos filhos. Somente aqueles que são íntimos têm plena autoridade para confrontar. Nós não permitimos que nenhuma pessoa estranha invada a nossa intimidade. Essa é uma prerrogativa das pessoas que são íntimas.

Os pais precisam ser conselheiros e ser seus amigos mais íntimos. Precisam pavimentar o caminho de um relacionamento azeitado pela harmonia, construir pontes de amizade em vez de cavar abismos no relacionamento, investir na relação filial para colher preciosos frutos. Precisam conhecer a verdade para ensiná-la com segurança e vivê-la para influenciá-los positivamente.

O papel dos pais não é ver os filhos sempre sorrindo e saltitantes de alegria. É forjar nos filhos um caráter firme. Não se consegue isso sem trabalho, sem esforço, sem lágrimas. A maior herança que os pais podem deixar para os filhos é o legado de um exemplo honrado, de uma vida sem mancha, de um caráter virtuoso e sem mácula.

Um pai é aquele que disciplina

O apóstolo Paulo pergunta: "Que preferis? Irei a vós outros com vara ou amor e espírito de mansidão?" (1Co 4.21). Quem ama disciplina. O amor responsável estabelece limites. Filhos sem disciplina são inseguros, confusos e irresponsáveis. Disciplina não é castigo, tortura ou maus tratos. Não é violência verbal nem agressão física. A disciplina pode até conter castigos físicos adequados, mas seu propósito é o aperfeiçoamento do caráter e não a agressão.

Há momentos em que a única linguagem que os filhos entendem é a da disciplina. Reter a vara da disciplina é pecar contra os filhos. Aborrece a alma do filho o pai que a retém. Chega um momento em que um pai responsável precisa disciplinar seus filhos. Um pai que ama não pode ser indulgente com os filhos.

Um exemplo de pai

É melhor ver os filhos chorando um instante que vê-los destruídos por toda a vida. Como já dissemos em outro capítulo, disciplinar é discipular. Não disciplina corretamente quem não caminha junto, quem não ensina pelo exemplo, quem não pavimenta o caminho da restauração.

O pai é aquele que não humilha os filhos

O apóstolo Paulo prossegue: "Não vos escrevo estas coisa para vos envergonhar [...]" (1Co 4.15a). Nenhum pai tem o direito de envergonhar os filhos, de constrangê-los e achatar-lhes a alma. Há pais que exageram nas palavras e nas atitudes com os filhos, agredindo-os verbal e fisicamente. Há pais que são carrascos e tratam-lhes com desdém ou descabido rigor. Uns diminuem os filhos, abrindo-lhes feridas na alma. Outros comparam os filhos com outras pessoas e abalam suas emoções. Há também pais que abrem feridas incuráveis no coração dos filhos e abusam deles. Há ainda aqueles que os provocam à ira, tratam-lhes com amargura e os deixam desanimados.

Um pai de verdade não humilha os filhos em particular ou em público. Antes, é bálsamo para eles, prestigia e os honra, ensina-os com firmeza e os corrige com doçura. Ele celebra com os filhos suas vitórias e chora com eles suas tristezas. Está sempre disponível para os filhos e sempre lhes dá mais importância que a qualquer outra conquista da vida.

Os jornais estampam todos os dias tragédias familiares. O lar está se transformando em um dos redutos mais perigosos para a segurança física e emocional das pessoas. Há muitos relatos de pais abusando sexualmente dos filhos, outros que os espancam e os destróem emocionalmente. Há muitos que oprimem os filhos, colocando sobre eles uma camisa de força e um regime de terror. Por outro lado, há pais passivos, frouxos e permissivos que os deixam soltos, sem disciplina, sem limites e sem controle. Precisamos de pais que saibam dizer sim e também não. Pais que tenham coragem de negociar o negociável e não negociar o inegociável. Que se interessem pela agenda, amigos dos filhos e que saibam a que horas saem ou chegam em casa, aonde vão e o que fazem. Pais que apascentam suas crianças, que levantam muros protetores ao redor deles e, ao mesmo tempo, as ajudam a enfrentar de cabeça erguida os desafios da vida.

O pai é aquele que dá carinho aos filhos

O apóstolo ainda pergunta: "Que preferis? Irei a vós outros com vara ou com amor e espírito de mansidão?" (1Co 4.21). O mesmo pai que disciplina é o que pega os filhos no colo, que usa a vara e também ministra amor, que age com energia e também fala com espírito de brandura e mansidão. Nada é mais nocivo para a saúde emocional dos filhos do que o desequilíbrio no relacionamento. Quando há disciplina sem

Um exemplo de pai

carinho, cria-se filhos revoltados e amargos. Quando se dá carinho sem disciplina, cria-se filhos mimados e imaturos. Disciplina sem amor é escravidão; amor sem disciplina é irresponsabilidade.

Os pais precisam dosar correção com encorajamento. Há filhos que só recebem críticas e palavras de reprovação sem jamais escutar uma palavra de incentivo e encorajamento. Os pais precisam aprender a elogiar e destacar os pontos positivos ao mesmo tempo em que prestam socorro em suas fraquezas. Se só escutam reprimendas, crescerão aleijados emocionalmente e se arrastarão pela vida, esmagados pelo complexo de inferioridade. Se os filhos só escutam elogios, crescerão sem musculatura emocional, despreparados para os confrontos da vida.

Há pais que amam os filhos, mas nunca verbalizam esse amor. Precisamos não somente segurança, educação e sustento, mas também amor. Precisamos cuidar das necessidades emocionais. Há carências que roupas de grife e as melhores escolas não podem suprir. Filhos carentes se tornam presas fáceis para os aproveitadores de plantão.

Há pais que amam seus filhos, mas só dizem isso tarde demais. Davi amava Absalão, mas só expressou seu amor depois que o rapaz estava morto. Nenhum lugar escuta confissões tão lindas como o cemitério. Ali vertemos nossas lágrimas mais calorosas e falamos as palavras mais importantes. Devemos ser pródigos nos elogios quando nossos filhos ainda podem ouvir nossas palavras. Devemos mandar flores enquanto podem ver a beleza das pétalas e sentir o cheiro inebriante. É comum em nossa cultura entupir os funerais com muitas coroas de flores quando a pessoa já não pode cheirar sequer um botão de rosa. Muitas vezes essas flores são uma tentativa de aliviar nossa consciência e dizer para os outros que amamos a pessoa que partiu. O que é triste é que muitas dessas pessoas que partiram nunca ouviram de nós uma palavra de carinho nem sequer receberam de nós um botão de rosa.

O pai é aquele que se esforça para estar perto dos filhos

Paulo conclui sua narrativa aos coríntios dizendo: "Mas, em breve, irei visitar-vos..." (1Co 4.19). Um pai de verdade arranja tempo para estar perto dos filhos. Quando amamos alguém, temos prazer em ficar perto dela. Reitero o aviso: quando os filhos são pequenos, eles choram pedindo para ficar perto dos pais; quando crescem, são os pais que choram pedindo para ficar perto deles. Se não cultivarmos essa amizade enquanto ainda são pequenos, perderemos a intimidade com eles quando estiverem adultos. Se não semearmos a amizade na vida deles agora, colheremos a indiferença amanhã.

Quando amamos uma pessoa fazemos três coisas: verbalizamos nosso amor, procuramos dedicar-lhes

Um exemplo de pai

tempo e buscamos agradá-la. Um pai que ama seus filhos consagra-lhes tempo. Na verdade, arranja tempo para eles. Temos tempo para tudo o que é prioridade para nós. Quando falamos para nossos filhos que não temos tempo, estamos dizendo que eles não são nossa prioridade.

Muito cedo nossas crianças descobrirão se, de fato, são prioridade em nossa vida. Um menino – que chega da escola e pede ajuda ao pai para fazer o trabalho escolar e recebe um não em função do tempo e, em seguida, o vê passando horas diante de televisão – irá entender que o lazer ou qualquer outra coisa é mais importante do que ele.

O maior e o melhor investimento que um pai pode fazer na vida é investir na vida dos filhos. É possível conquistar todos os troféus da fama, enfeitar a parede do escritório com todos os diplomas, arrancar aplausos de todos os homens e amealhar muitas riquezas, mas, ao perder os filhos, essas conquistas terão o gosto amargo da derrota.

Precisamos de pais que tenham tempo para suas crianças, que priorizem e invistam nos filhos e os vejam se despontando como coroas de glória na mão do Senhor. A nação precisa de pais que criem não apenas filhos brilhantes, mas também filhos crentes, piedosos e cheios da graça de Deus. Todos nós precisamos de pais que não apenas dêem o melhor desta terra para seus filhos, como também lhes ensinem no caminho do céu!

Sua opinião é importante para nós. Por gentileza, envie seus comentários pelo e-mail editorial@hagnos.com.br

Visite nosso site: www.hagnos.com.br

Esta obra foi impressa na Imprensa da Fé.
São Paulo, Brasil.
Verão de 2015